吉原珠央

その言い方は「失礼」です!

JN009563

109

まえがき

「あの言い方は失礼だ！」「今の態度はあまりにも……」「ちょっと感じが悪い」「無礼な人だ」「あの人の言い方は素っ気なくて冷たい」

これまであなたが出会ってきた人に対して、このようなことを思ったことはありませんか？

失礼な言動は、私たちの感情を乱し、余計なストレスを与えます。

穏やかに人と接したいのに、誰かのたった一つの失礼な言動によって、イライラしたり怒ったり傷ついたりし、そのことを一日中引きずってしまうこともあります。

このように相手の失礼な言動に気づくことがある一方で、自分がよかれと思って相手にいった一言や、とった行動が、実はとんでもなく失礼なことに気づいていない人もいます。

失礼な言動は、自分がされたときは気づきやすく、自分が誰かにしてしまったときは気づきにくいものなのです。

あなたが疲れているときに「疲れて見えますよ」と見た目のマイナスな印象だけをいう人は、本当にあなたを気遣い、心配しているのでしょうか？

あなたとの大事な待ち合わせに遅れてきて、「遅れちゃいました！」としかいわない人は、失った信頼を必死に取り戻そうとしていると思えますか？

これらを放置していると、周りの人たちが徐々に離れていくことになるので、実は恐ろしいことでもあるのです。

失礼な言動をとる人は、そういった相手に与える違和感に気づかないことが原因だといえますが、それは意識の持ち方やトレーニングによって大きく改善することができます。

本書は「失礼な言動」の正体を明確にし、より信頼される人になるための実践的な話し方や振る舞い方を紹介しています。

さらには、万が一失礼な言動をとる人があなたのそばにいても、どのように反応すればストレスを軽減でき、自分自身を守れるかについても述べています。

よって、次の三つを目的として、あなた自身、あるいはあなたの大事な家族や友人、職場の人たちとシェアしながら本書を活用していただきたいと考えています。

1．知らないうちに自分自身が失礼な言動をとることがなくなる
2．失礼な言動をとる人と、ストレスのかからない付き合いができる
3．礼儀正しくて信頼される人になる

私はコミュニケーションやプレゼンテーションを専門としたイメージコンサルタントという仕事を通じて、多種多様な年代、業種の方々にお会いしてきました。
「失礼な言動」について理解し、人付き合いをさらに深められる人もいれば、人柄もよく情熱的なのに、それを知ってもらう機会に恵まれなかった人、実際には賢いのに、失礼な一言で評価を落とす人もいます。

私たちは、**人と会うときは常に相手を大切に思い、それを相手に確実に感じてもらうための言葉と態度を工夫すべき**なのです。

本書を読んだ後、きっとあなたは失礼な言動によるデメリットを明確にし、自己満足や小手先ではない、心から相手に喜ばれる「礼儀正しさ」を確実に身につけることができると信じています。

礼儀正しさとは、あなたに想像力や客観性があることを表し、相手を受け止める余裕や瞬時の判断力を持ち合わせていることを意味します。

本書によって、ぜひともそれらを、あなた自身のものにしてください。

本のタイトルが気になって手にとってくださったあなたは、今のままでも十分、コミュニケーションに対する意識が高く、好奇心のある方だと推察します。

そこからさらに一歩踏み込んで、「失礼な言動」について、私と一緒に考えてみませんか。

人付き合いをより豊かなものにする「本当の礼儀正しさ」という無敵の宝を手にするために！

まえがき 3

第1章 ひんぱんに遭遇する「失礼な言動」 13

「疲れて見える」と本人に伝えるな 14
気軽に「適度な運動を」というな 17
「かわいそう」は上から目線 20
「話しすぎちゃった」は罪深い 24
質問されても調子に乗って喋りすぎるな 30
メールが長いと、人は離れていく 34
かすかな違和感こそが「失礼」の正体 38
相手の「失礼」は自分を磨くヒントになる 44
失礼な人からは、こうして身を守れ！ 46
「ありのままの自分」でお見合いするな 48
相手が話した言葉は、すべて拾え 53
「売り切れです」という店員にはなるな 60

ロクに話を聞かず、決めつける人たち 64
勝手に「夫婦」と決めつけない 67
「うちの旦那」とはいわないほうがいい 70
咄嗟の一言に「育ち」が出る 76
褒め言葉の半分は嘘だと思え 84

第2章 失礼な人ほど「自分は正しい」と思っている 87

「だから」は不快感を与える言葉 88
お客様を「さん」づけで呼ぶな 91
場所を選ばず、プライベートな質問をするな 95
人前で注意をする残念な人たち 101
人前で心配をする「無神経な」人たち 104
最初に情報を与えない頼みごとは時間泥棒！ 106
頼み方には怖いくらいに本性が出る 110
「暇だから」と誘うのはNG 115
相手の「忙しさ」をイメージしよう 117

スタバでは5秒以内に注文せよ 119
「プラス15秒ルール」で時間感覚を鍛える 121
「やっぱり」の多用は「押しつけがましい」 125
「みんなやってますね」は極めて失礼！ 129
話しかけるタイミングが最悪な人 131
質問が多いと評価が下がる 137
質問は長いほど非常識 141
「強調」ではなく「協調」せよ 146
「遅くなりました」は謝罪ではない 149
「偉いですね」は要注意 152

第3章 礼儀正しい人は無敵である 157

「後ろの人」に気を遣えるか 158
「コンビニがあるビルが目印です」はNG 162
「先の先」を読んで声をかけられる人 166
「細かいこと」をいちいち気にしよう 168
一気にやる気が上がる魔法の言葉 176

知人が来たら、すぐ立ち上がる　181
「せっかく」は共感力ナンバーワンの言葉　186
気が利かない人の共通点　188
ちょっとした愚痴には付き合う　193
嫌な予感を見逃さない　197
自分にとって必要な人を見極める　201
「プレゼン力」はさらに重要になる！　205
コミュニケーションは投資である　211

あとがき　216

DTP　美創

第1章 ひんぱんに遭遇する「失礼な言動」

「疲れて見える」と本人に伝えるな

あなたは友人や職場の人などに、気軽に「疲れて見える」「やつれている」などといっていませんか？　これらの言葉には注意が必要です。特に女性に対しては。

仮に今にも倒れそうなほど顔面蒼白《そうはく》だったり、明らかに相手が不調な場合には、「やつれていますね」といっている場合ではなく、「座ったほうがいいですよ」といって、手を差し伸べることを優先すべきです。

例えば「髪が乱れているよ」でしたら、その場で直すことができますが、「疲れて見える」「やつれている」と指摘されても、その場ではどうすることもできません。ましてや、それが朝早い時間だったとしたら、その人は一日中「私は疲れて見えるのかな……」と気にしながら過ごすことになり、余計に疲れてしまいます。

実際に、知人から聞いた話があります。

「仕事でお会いした営業の方に、『前回お会いしたときよりも、疲れていませんか？』といわれて、ハッとしました」という事務職の20代の女性。そのとき、それほど疲れているわけではなかったそうで、「そんなに疲れて見えるのかしら……」と落ち込んだそうです。

また、営業職の30代の女性は、「職場で同僚の男性から『やつれて見える』といわれたとき、本当に失礼だと思いました。だって、『老けて見える』といわれているのも同然ですから」と話していました。

40代のエンジニア職の男性は、「いつもパソコン作業で寝不足が続くこともあるので、『なんだか少しやつれてない？』と同僚にいわれたとき、嬉しくはないけれども、相手によっては、気にかけてくれているように感じることもあります」と話してくれました。

さらには、病気で退院したばかりの70代の男性は、「『やつれている』といわれたら『病人みたいに見えますよ』といわれているのと同じだから傷つきます。『やつれている』と人様にいうなどありえない」と憤っていたと、医療関係の知人から聞きました。

誰もがいわれて、複雑な心境になったり、落ち込んだり、傷ついたりする言葉は徹底して慎むべきです。

40代の私が、「吉原さん、なんかやつれているね？」と誰かにいわれたら、「やつれている＝元気がない＝覇気《はき》がない＝老けて見える」と連想します。

そのときに私が元気であればあるほど、「えっ、こんなに元気なのに、やつれて見えるなんて！　ということは、相当に老けて見えるのかも……」と、なおさら落ち込みそうです。

シワやたるみ、脂肪、筋肉など見た目の変化が出やすい40代以降の女性でしたら、私と同じような思いをされる方が多いのではないでしょうか。

そもそも「やつれている」「疲れている」というのは、相手に伝える必要も価値もない言葉だと、私は考えます。

仮に相手が疲れて見えて、本当に心配しているのであれば、相手の疲れ切った顔の印象に釘を刺すようなことはいわず、「最近、ゆっくり休めていますか？」「とても忙しそうだけど、体調は大丈夫？」「最近、お変わりはございませんか？」などと聞いてあげるほうが、優しさに溢れた表現になります。

相手に対して、「やつれている」「疲れている」という言葉はいう必要がないのです。

相手が疲れて見えれば見えるほど、優しくて元気を与えられる声がけができる人を目指したいですね。

気軽に「適度な運動を」というな

体の疲れをとったり、リラックスしたくてマッサージに行ったときの場面を想像してみてください。

マッサージを終えると、施術してくれたスタッフに「肩も首もガチガチで、ひどいですね。足もむくんで、ぱんぱんでした。毎日ストレッチをしたり、適度な運動をしたほうがいいですよ」といわれたとします。

疲れていること自体、自分が一番よくわかっているので、「○○したほうがいい」といわれることに辟易《へきえき》してしまいます。

実際に、私は軽めのストレッチを毎日続けています。そういった質問もなしに、それらを全否定されるようなことをいわれると、相手にはこちらのことを知ろうとする気持ちが全くないのだと感じます。

個々人のライフスタイルに対して、もっと注意深く質問しながら会話を進めれば、

「〇〇したほうがいいですよ」というような断定した言い方は、だいぶ減るはずです。

目の前の相手の習慣について最初に尋ねるだけで、相手にとって余計な情報やアドバイスを省くことができるのです。

「これだけは、やってみてください！」と、相手にとって本当に必要な情報を絞り込むことができれば、その情報に価値が生まれます。

「肩や首が凝っていてマッサージに来ている人は運動不足」という先入観を持ちながらお客様とコミュニケーションをとっていては、相手を理解しようとする労力を省いているようにしか見えず、次に来店したときに指名しようとは思いません。

「普段、体のことで気をつけていらっしゃることはございますか？」「運動はお好きですか？」とお客様に聞いた上で、少しでも、運動を意識し実践している人に対しては、

「うわっ、それは素晴らしい習慣ですね」「それは素晴らしい意識をお持ちですね」と受け止めることでお客様は肯定感からやる気が出てきますし、相手への信頼度も高くなります。

「肩も首もガチガチです」「運動をしたほうがいいですよ」などという言葉は、相手の

健康を心配しているように聞こえるかもしれませんが、実は、目の前の相手の心理状態や生活面のリサーチ不足による短絡的なコメントにすぎません。

「痩せた？」「太った？」などという聞き方が失礼であることは誰しもご存じでしょうが、これは家族であっても、お互いに伝え方は気をつけたほうがいいに違いありません。

私は妊婦だった頃、「珠央さん、全体的に大きくなりましたね」「お顔もパンパンね」と、ばったり会った知人にいわれたことがありました。

その方に悪意がないことは十分わかっていたのですが、いわれたことがあまりにも正しく（笑）、本当に当たっていたからこそ（現在よりも16kgも体重がありました）、その当時は余計に傷ついてしまったのでした。

当時は悪阻《つわり》がひどく、身体的にもメンタル面でも絶不調な日が続いていたこともあり、「太った」と遠回しにいわれても、笑って返せる余裕は一切持てずにいました。

妊娠時はホルモンのバランスが乱れ、体の不調や気分の浮き沈みも激しくなる時期でもあります。

そこで、私は妊婦さんと話すときは、「お腹が大きくなってきたね」などとお腹だけに焦点をあてて話すようにしています。

一方で、妊婦さんの中には、悪阻により食事も飲み物も口にできず、見るからに痩せてしまう方もいらっしゃいます。

「痩せちゃいましたね！」「ガリガリだけど大丈夫？」「赤ちゃんのためにもご飯をしっかり食べなきゃ」などといわれると、ご本人にとっては大きなプレッシャーとなってしまいます。

相手の見た目の変化に関しては、百パーセントポジティブに受け止められること以外は、あえて口にする必要はないのではないでしょうか。

相手の印象について、あえて言わなくてもよい言葉をもう一度、ご自身で整理してみませんか？

相手のことが心配だったり、何かお手伝いをしたいときには、余計なことをいわずに、実際に自分にできることを見つけて行動に移せる大人でありたいですね！

「かわいそう」は上から目線

本人や、そのご家族に起こった出来事に対し、それを見たり聞いたりすると、すぐに「かわいそう」という人がいます。

例えば、「この間、姪が高校受験で第一志望の学校が不合格だったんだ……」などと聞くと、「えー、かわいそう！」というのです。

「かわいそう」という言葉の中には、「第一志望の高校に行けない人生は悲惨」という考えが根底にあると捉えられても仕方ありません。

深い意味がないとしても、「かわいそう」という言葉には「残念ながら今のあなたは、とても哀れで不幸です」という烙印を勝手に相手の未来に押しつけており、余計なお世話であると私は常々感じています。

「第一志望の高校へ行けない事実」に対して、聞き手がかわいそうとか哀れだとかを判断する立場にはありません。

「かわいそう」という言葉には、相手に共感、寄り添うような温かさが感じられないのです。

何かにつけてすぐに「かわいそう」という人は、勝手に相手を不幸だと決めつけ、

「人を憐れむ、優しい私ってどうですか」とばかりに自己陶酔《とうすい》しているように見えてしまうときすらあります。

私自身も過去に「かわいそう」と、いわれたことがありました。

約4年間勤めた会社を退社した20代半ば、次の仕事を探していた時期に年下の女性から、「珠央さん、なかなかお仕事が見つからず、結婚の話もないなんて、なんだかかわいそうですね」と。

大きな違和感を覚えたことを記憶しています。

彼女から見た私は、運も縁もお金も尽きてしまった哀れな人なんだろうということがわかりました。

人からどのように思われても気にする必要はないとしても、一番ショックだったのは、彼女がためらいや気遣いもなく、思っていたことをすぐさま口にする人だと知ってしまったことです。

そのときは少し落ち込みましたが、彼女のおかげで気づけたこともありました。

それは、何かがうまくいかず落ち込んでいる人に対し、「かわいそう」というモノの見方をする人とは、決定的にウマが合わないということです。

相手が辛い時期に、なんとか共感してあげたいという気持ちから「かわいそう」という言葉が出てくることもあるでしょうが、仕事や人に対して「仕事がある人は幸せ」「仕事がない人は不幸でかわいそう」「結婚できない人は哀れ」などという表面的なことを口にする人とは、深い話はもちろんのこと、お腹の底から笑い合えるわけもなく、その後は自然とご縁はなくなっていきました。

辛い出来事を誰かに話したとき、軽々しく「かわいそう」といわれて、いい気持ちになる人はいません。「かわいそう」は、いった人の自己満足な一面もある言葉だと認識しておくほうがいいでしょう。

相手の辛い出来事を聞いたときは、「それは本当に残念でしたね」「ものすごく大変だったと思います」「とても辛かったでしょう……」など、その人の気持ちに心から寄り添うような言葉を投げかけられる人でありたいものです。

このときにゆっくり抑揚をつけてみると、さらに感情が伝わります。

同僚や友人の子どもが風邪を引いたとか、怪我をしたという話に対して「〇〇くん、咳が止まらないのはかわいそうですね。受験前には治ることを祈っています」「○○ちゃん、指の怪我で学校のプールに入れなかったのはかわいそうでしたが、今はすっかり治ったと聞いて安心しました」といった場合には、第三者であり、かつ子どもさんに対する「かわいそう」なので、そこまでの違和感はありません。

迷うときには、「この状況で自分がいわれたらどう思うか？」を考えてみましょう。

いうまでもありませんが、病気や怪我が深刻な場合には、戸惑いもなく「かわいそうですね」という発言は慎みたいですね。

あなたの言葉は、相手の気持ちを落ち着かせ、少しでも前を向けるような温かい力を持っています。

そのような言葉を毎日、大切な人へ出し切っていきましょう！

「話しすぎちゃった」は罪深い

会話の中で、あなたが、「○○さんはいかがですか？」などと聞いた途端、堰《せき》を切ったように、自分のことばかり延々と話し続ける人はいませんか？

こういう人は「質問をしてもらう＝相手は自分の話を聞きたがっている」と思い込んでいるなと感じます。

もちろん、本当に聞きたい場合もありますが、相手の問いかけに感謝し、「そこまで興味はないかもしれないけれど、話を振ってくれたのは親切心からかな」「この質問は、私に話をする機会を与えようとしてくれているのだろう」などと考えられる人が、どれだけいるでしょうか。

仕事でもプライベートでも、おおよそ「質問してくれることは、気遣いなのだ」と謙虚に受け止められる人は、質問に対する答え方も的確な人だと私は考えています。

「○○さんはいろいろとご存じでしょうから、ぜひお話を聞かせてください！」などと質問してもらうことは光栄なことですから、嬉しくて舞い上がり「任せて！」とばかりにたくさん話したくなってしまう気持ちもわかります。

しかし実際に延々と話されると、聞き手はうんざりしてしまうことも多いのです。

話をしすぎて、「この人は自分のことしか考えていない」という印象を持たれてしまっては、あなたにとって得することは何もありません。

それでは視点を変えて、一度、人の話を一方的に聞いている状態がどのようなことなのか、読者のあなたも体感してみてください。方法は簡単です。

〈相手の話をしっかりと聞くときの方法〉

・唇を軽く閉じたまま口角を2センチほど上げて立つ
・頭、背筋を真っ直ぐにする
・そのまま動かず10秒を計る

たった10秒でも一方的に話を聞かされているときの時間は、「まだかな」という思いが頭をよぎるほど、実は長いのです。

あらゆる質問の答えや説明などに対して、「10秒以内で話せ」といっているわけではありません。

ただ、話を聞く人は心理的にも身体的にもストレスを感じているという事実を理解するだけで、話がわかりやすい人に近づき、「失礼な人」からは遠ざかることができるのです。

時間がたっぷりあるときや、相手がお客様で、あなたがじっくりと話を聞く立場にあるのならまだしも、やはり聞き手は疲れるのです。

10秒だけでも会話中に聞き手がどれだけ気を遣い、背筋や顔の筋肉を緊張させているか、先程の体感を思い出してみてください。

ちなみに10秒間は文章にすると、およそ50文字ほどで、それくらいが聞きやすさの目安ともいわれています。

これはニュースでアナウンサーが1分間に原稿を読むのが、だいたい３００文字前後ということから割り出したボリュームです。

たった今、あなたに読んでもらった「これはニュースで〜」から「〜割り出したボリュームです」までが50文字ほどです。

また、50文字に1回は句点の「。」で一つの話を締めくくると、格段に話がわかりやすくなります。

話が長くて聞き手をうんざりさせる人は、話の最後を「。」にせず、「ボリュームなんですけど、それが重要なポイントだと知ってもらえたらと思うのですが、私としては……」などと読点（「、」）を使い続けながら話す傾向があります。

私たちの脳は、文字や数字については5～9文字程度を短期的に記憶できるといわれていますので、自分の話したことに含まれる情報の数を考えてみるといいでしょう。

例えば先程の説明であれば、「ニュースのアナウンサー」「1分間に読む原稿の文字数」「３００文字前後」「ボリューム」などと数えてみると、私たちが話す内容の中の情報量がすぐにわかります。

このように、人が記憶しやすい情報量にとどめながら、話を考え組み立てるのです。

私自身は、毎回きっちりと秒数を計っているわけではありませんが、「短さ」という感覚を常に意識しながら人と会話をしています。

ただ、「10秒」「50文字」「情報の数は今何個だ？」などと厳密に考えすぎて、話の内容や相手の心情を考慮に入れないのでは本末転倒です。

あくまで感覚として、「長さ」を捉えることをおすすめしています。

練習として、ご自身の話を文章に起こしたり、録音して聞くなどして客観的な感覚を磨いてみるのもいいでしょう。

20代の頃からフリーランスで仕事をしている私は大学の非常勤講師として授業を受け持ったり、様々な業種の企業での講演や研修、コンサルティングなどに対し、支払っていただく報酬を分単位で把握することが常です。

例えば、仕事が5分間延長する場合、その5分間が一体、いくらになっているのか。さらには延長したことによって、相手が本来やりたかった仕事のどれだけの時間が失われ、それによって改めてスケジュールを調整したり、人に頼んだりしてストレスがかかるのかなどを考えます。

私自身のこと以上に、時間を割いてくれている相手の時間に対しても同様に責任を感じるのです。

そのように考えると、私たちは「ちょっと話しすぎました」などと頻繁にいう人によって、様々なものを失ったり調整したり、時間とエネルギーを消費してしまっていることがわかります。

話を振られたり、質問をされたときは、まず「お気遣いをありがとう」という気持ちを表し、また、内容をわかりやすくするために、話すボリュームのことを今までよりもほんの少しだけ気にしてみませんか。

その習慣が、あなたの話し方のスタイルを格段によくしてくれるはずです！

質問されても調子に乗って喋りすぎるな

ある企業との打ち合わせで、複合ビルのロビー階で待っていたときのことです。

私が案内された席の隣では、３名で打ち合わせをしている方たちの声が聞こえてきました。

その中の一人が「へー、吉田さん（取引先の相手）のメモのとり方って、すごくわかりやすそうですね！　何かこだわりとかあるのですか？」と質問しました。

すると、質問された側のご本人（吉田さん）は、自慢げにメモのとり方や、ノート選びのポイント、過去の事例などを延々と1分以上も語っていたのです。

その後、メモに感心してくれていた相手に「〇〇さんに、そんなふうにいってもらえて嬉しいです。ありがとうございます」とお礼をいうこともなく、自分のことだけを最後まで話し続けた吉田さんは、かなり満足げに見えました。

その上、「もっと聞いていいわよ」といわんばかりの強い眼力で相手からの質問を待っていることが痛いほど伝わり、相手に話を振るといった気遣いは皆無のようでした。

しばらくして、「それでは、また引き続きよろしくおねがいします」と聞き手の一人が唐突に会話を終わらせました。

察するに3名は、すでに良好そうな関係を持っている2社間の担当者同士といった感じでした。

良好な関係だからこそ、自分ばかりが話さないよう礼儀をわきまえることで、より関係性が強化されていくのではないでしょうか。

調子に乗って喋りすぎている人がもたらす影響は、「今すぐ契約解除だ」などという突然の悲劇は起こらないまでも、「あの人は調子に乗りやすくて心配だ」「あの人は喋りすぎて脇が甘い」などと思われ、重要な案件になればなるほど、声をかけてもらえなくなる場合があります。

自分のメモのとり方について関心を持ってくれる人がいたら、もちろん嬉しくはなるでしょう。

メモのとり方を質問した人は、着眼点が鋭いばかりでなく、相手が喜ぶことを言葉で伝えられる気遣いがあるほか、もともと興味・関心の幅が広い人であるともいえます。

せっかく、そのような人から「あなたのメモは素晴らしい！」といってもらえたのに、結局、先程の事例の吉田さんは、質問に対して自分の話したいことを話すだけで終わってしまったのです。

聞き手の反応が薄くなったのは、「もういい加減、話が長いと気づいてくれ」というシグナルだったことに、本来は気づかねばなりません。

誰かがあなたを褒めたり、関心があるようなことを質問してくれたとしても、1分以上も長々と相手の質問に答えることは失礼であると気がつけたら、周囲からの評価は百八十度変わります。

褒められたことに対し、延々と話せば話すほど、謙虚さから遠ざかっていきます。

先程の状況で「うわっ、そんなふうに○○さんに思っていただけて光栄です！　自己流ですが、後で読み返したときにすぐに自分でも理解しやすいよう、メモを書く場所にも気をつけているんです。○○さんはそういうところをご覧になっているなんて、さすが着眼点が鋭いですね。○○さんもメモのとり方でこだわりなどがあったら、ぜひ伺いたいです！」などと、お互いに「メモのとり方」に関する情報交換ができるような会話のほうが、各々が話すチャンスができて、全員気分がよくなり、さらに場が盛り上がるのではないでしょうか。

自分の話したい欲求をうまく抑えながら、相手に話す場を与えたり、譲ったりできる人を目指したほうが、話し手としてより信頼され、人々から求められていきます。

組織におけるリーダーや、先生という立場で、相手が黙って自分の話を聞いてくれることが多い人も、「相手の質問の目的はなんだろう」「どの程度の情報を伝えればよいのだろう」「相手に時間はどのくらいあるのだろう」といった配慮をしながら、質問に答えてほしいものです。

「質問をされる＝答える」ではなく、「**質問をされる＝感謝＋答え＋相手を巻き込む質問・提案**」という流れを定着させていきましょう。

メールが長いと、人は離れていく

前項の「質問されても調子に乗って喋りすぎるな」では会話について話をしましたが、メールも然りです。

私自身、20代の頃に仕事で質問を受けたとき、恥ずかしながら、調子に乗って独りよがりの長文メールを送って失敗したことがありました。

あるとき、仕事でたまたま知り合った企業研修講師を派遣している会社の役員の方から、「吉原さんに仕事をお願いするとしたら、どのようなことができますか？」といったシンプルな内容のメールを頂きました。

当時の私は、自分の経歴やスキルについて本書の２ページ分の文字数に相当する内容の長文メールを送信して満足していました。

ところが、その後、１週間経っても、１カ月経っても相手からは一向に返信がありませんでした。

後になって、自己アピールで埋め尽くされた長文メールが「自分のことしか見えていない人」だと相手を失望させたのだと気づきましたが、時すでに遅し。結局、仕事の話はおろか、関係すらそれっきり途絶えてしまいました。

相手の方も私に質問のメールをくださったのですから、一言であっても返信をするのが筋かもしれませんが、あのときに返信がなかったおかげで、私自身が「失礼なメールだった」と気づくことができたので、この経験には感謝しています。

当時、私は質問をしてもらえただけで、役員の方は自分に仕事を依頼したいのだなと勘違いし、調子に乗りすぎてしまったのです。

自分に少しでも興味を持ってくれたことに対する相手への感謝を、メールに反映させる余裕すら持てていませんでした。

要するに、提案力や客観的な視野のなさを、私は長文メールで露《ろ》呈《てい》していたのです。

誰かから質問されたときは、「相手は必要なことをシンプルに知りたいだけ」といった本質を理解することが出発点だと学びました。

質問されたことに気をよくして、自分のことしか書かない長いメールを送ってしまうと、当時の私のように何らかのチャンスや新しい経験を逃すことになりかねません。

質問に対する答えは、まずシンプルに「ずばり○○です」という結論を伝えます。

答えた後は、要点をまとめ（「。」を意識して話をいったん完結すること）、次に相手を巻き込みながら提案をしたり、相手に話を振るということまでをセットで、一つの文章を3〜4行以内にして、トータル10〜20行以内でまとめられると、読みやすいメールの文章となります。

先程の私の事例のように、仕事に繋がりそうなことを聞かれた場合には、長々と自分の経歴をメールの本文に書くよりも、相手から求められていることに対して、自分ができることを箇条書きにしてまとめるほうが断然、伝わります。

経歴は、紙1枚にシンプルにまとめて「経歴書」というタイトルでメールに添付して送るなり、「よろしければ私の公式サイトもございますので、お時間がございましたらご覧ください」と書いてURLを本文に貼りつけておけば、相手のペースで知りたいことだけを確認できます。

ただ、情報を送りすぎてしまうと、相手の負担になってしまう可能性もありますので、ボリュームにはご注意くださいね。

熱意や積極性は必要かと思いますが、それはメールのボリュームで決まるわけではありません。

相手のことを慮《おもんぱか》って内容を絞り、必要な情報だけをどれだけ礼儀正しい文章で伝えられるかが、ご縁を繋げられるか、断ち切られてしまうかの分かれ道です。

自分のことはきちんとアピールすべきですが、「相手を巻き込む」という視点で次のような一言を添えると、感謝の気持ちや一期一会をいかに大切に考えているかが伝わるのではないでしょうか。

「○○さんのようなご経験豊富な方に、少しでも弊社のサービスにご興味を持っていただきましたら、大変光栄です」「以上となりますが、お忙しくご活躍されている○○さんのお役に立てましたら幸いですので、ぜひお気軽にご相談ください」「○○さんのお仕事や、今後のプランなどにつきまして詳しくお話を聞かせていただけましたら、さらに何かご提案ができるかもしれませんので、どうぞ引き続きご連絡をさせていただけますよう、よろしくお願いいたします」

メールは「読みやすさ」と「感謝と敬い」によって構成するのが一番です。
さあ、繋がりたい人とのご縁のために、文章も相手のためにシンプルに！

かすかな違和感こそが「失礼」の正体

あなたは、この1週間で誰かの言動について、「失礼だな」「がっかりした」などと思ったことはありましたか？

私には、すぐに思い出せることだけでも3回はあります。

・買い物で支払いが済むと、店員が目も合わせずに、片手でクレジットカードを返してきた
・私が乗車して降りるまでに発したタクシーの運転手の言葉が「７４０円」だけだった
・満員のエレベーターで私が「開」のボタンを最後まで押していたが、全員が我先にと無言で降りていった
・知らない人のＳＮＳで「コロナのおかげで、お店が空いていてラッキー！」という、

目を疑うコメントを見た

こうして書いていると、私自身が小さいことを気にするタイプで、さらには恩着せがましい人に見えるかもしれません。

きっと、それは少なからず当たっています（笑）。

私自身は、人から「細かい」と思われても気になりませんし、度量が小さいことを自覚しています。

そんな度量の小ささを、開き直っているといいたいわけではありません。

大事なのは、失礼だと思うことを平然とし続けている人たちに出会ってしまったときに、「自分の感覚とは違うのだ」と冷静に受け止めて、そこで覚えた違和感に、どのように対処していくかということを伝えたいのです。

特に先程の例で傍線を引いた箇所は、見過ごしてしまう人もいますし、特に気にならない人もいるであろう、「かすか」なことです。

あのときのタクシー運転手の方は、たまたま虫の居所が悪かっただけかもしれませんし、過ぎ去ってみればとるに足りないようなことなので、私自身、相手の顔や声すら、すでに忘れています。

ただ、いわれたこと、されたことから抱いた、かすかな違和感だけは、どうしても腑《ふ》に落ちないまま未だに気になってしまうことがあります。

すでに感染によって亡くなっている方や治療中の方、仕事を失った方もいるという重大な局面において、「コロナのおかげ」というのは、あまりにも心ない言葉だといわざるをえません。

私のように日頃から人の言動に、「何か失礼だ」「がっかりするな」と敏感に反応する人たちは、単に細かくていつもイライラしているわけではなく、自分も失礼なことを他人にしているかもしれないと振り返る機会があると捉えています。

失礼なことをされたときの対処法を吟味することで、イライラや怒りに翻弄《ほんろう》されず、「こういうふうに考えればいいだけのこと」などと、冷静に人や社会と向き合えるというメリットもあります。

それによって、仕事もプライベートも機嫌よく過ごせますし、失礼なことをいわれたり、されたとしても、感情の浮き沈みに惑わされない「強いマインド」を持てるようにもなります。

この「かすかな違和感」というのは、人と接したときに感じるモヤモヤやイライラのことをいいます。

誰かに何かをいわれたり、されたときに「それっておかしくない？」「これはよいことなのか？」「今、私傷ついたよね？」「これって笑えることなのか？」「これは聞き流してよいこと？」などと頭の中で自問自答が始まったら、それは間違いなく「かすかな」あるいは「明確な違和感」といえます。

〈身近な事例〉

・ファミリーレストランで注文するとき、「和風ハンバーグ」とだけいう人

（違和感ポイント）なぜ、「お願いします」と一言付け加えないのだろう。

・注文から20分以上も経ってハンバーグを運んできた店員が、無表情で「ご注文は以上

ですね」とだけいって去ったとき、そんな店員に対して「だからバイトってダメだよね」などという人

（違和感ポイント）なぜ、店員は「お待たせして申し訳ございませんでした」と謝らないのだろう。

　店員も礼儀を知らないが、その本人の態度の問題であって、アルバイトをしている人全員を指して「だからバイトって……」という言い方はおかしい。

・歩道に広がってゆっくり歩いているため、道が塞がっているのに、誰も後ろに人がいることに気づかない

（違和感ポイント）横を向いて話している人の視界には、後ろを歩く人が入っているはずなのに、なぜ「あっ、ごめんなさい」といって道を空けないのだろう。それをすることで、お互いが気分よく感じられるのに。

「ありがとう」「お願いします」「ごめんなさい」といった基本的な言葉が出ない人や、

一つの出来事で短絡的に「○○な人は全員ダメ」と口にする人がいると、そういう人たちに対して、私は違和感を覚えます。

旅行したあなたが、「昨日お渡ししたお土産、お口に合ったかしら？」と友人に聞いたときに、「あっ、忘れてた」と答えられたら、少しムッとしませんか？

うっかり忘れてしまうことはありますが、せめて、「あっ、ごめんなさい！　大事に味わいたくて、今夜ゆっくりと贅沢な気分で頂く予定なので、ぜひまた感想を伝えさせてね！」などといってくれたら、途端に嬉しくなります。

社会生活を営んでいる以上、家族も含めた他者に対して覚える違和感を気にしないように我慢し、努力されている方もいらっしゃるかと思います。

また、相手のことをおおらかに受け止め、感情的にならず、すべてを丸く収めることができればスマートですが、私のように「かすかな違和感」は無視しようとすればするほど、気になってしまうものです。

そこで、かすかな違和感は「失礼なことである」と自分の中で認識し、客観視することができれば、冷静になれますし、その状況をコミカルに捉えることさえできるのです。

相手の「失礼」は自分を磨くヒントになる

あるとき、私の会社で運営する化粧品を愛用してくれている友人と、お喋りをしていたときのことです。

たまたま、その場に居合わせた別の女性が突然、「なんで、みんなすぐに化粧品ビジネスに走りたがるの？　そんなに儲かるの？」といいました。

私がまだ、他人の失礼な言動に対して瞬時に判断できなかった20代の頃でしたら、女性が発した言葉に対して、「なんて失礼なことをいうのだろう！　信じられない!!」と頭にきてしまい、彼女を避けるような態度をとったでしょう。

そもそも、彼女の発言の中にある、「みんな」や「すぐに」の定義も不明ですから、真に受けて反応する必要のないことは明らかです。

また、「したがる」という表現は、欲を貪《むさぼ》るような意味も含みますから、そのような言葉をためらいもなく発してしまう女性の品性すら疑ってしまいました。

私は彼女の言葉に対して否定も肯定もせず、「儲かっている人たちは、きっとすごく努力されているんだろうね。私の会社は、全然まだまだだけどね」というと、彼女は

「ふーん」といって沈黙。その後は、もともと私とお喋りをしていた友人が別の話題に移すなど、機転を利かせてくれました。

そのおかげもあって、「なんで、みんなすぐに化粧品ビジネスに〜」といった女性の作った、違和感だらけの空気は正常に戻っていきました。

違和感を覚える人に出会ってしまっても、たまたまそのときの言動が目についただけの場合もありますから、たった一つの違和感によって、相手を「嫌い」「付き合いたくない」などと判断する必要はないかもしれません。

ですから焦点を当てるべきは、「違和感を覚えた相手」ではなく、「自分が感じた違和感」だけでいいのです。

生活の中で感じる「違和感の正体」を放置せず、その原因を突き止めたら、**「私は自分の価値観に自信を持っていればいいだけのこと」と考え、振る舞う**ことが、私の目指したい在り方です。

違和感を覚えても、やたらと作り笑いをしたり、どのように反応したらよいのかわからずにうろたえたり、または感情的になったりする必要はありません。

かすかな違和感にしっかり向き合い、自身の言動を磨くヒントを一つずつ増やしていきましょう。

失礼な人からは、こうして身を守れ！

「この人は失礼だ」「話していることが明らかにおかしい」「かなり極端な考え方だな」といった違和感を覚えたら、「うんうん、この人は自分とは違う感覚を持っているのだ」と頭の中で明確に振り分けられれば、平常心で対処しやすくなります。

そして、違和感を認めるには、自分の中で「違和感チェックリスト」のような項目を予《あらかじ》め立てておくことをおすすめします。私の場合は以下のようなものです。

〈他人の言動に関する「違和感」チェックリスト〉

- 誰かが傷つく内容か？
- 相手からの敵意を感じる内容か？
- 相手の敬意を感じられるか？

・自信を持って人にも話せる内容か？
・自分の気分がよいか？

会話の中で、「いやいや、あの人は悪い人ではない」「今回はたまたまだ」「私のメンタルが弱いからなのか」「私の心が狭いだけなのか」などと無理やり思い込もうとすると、結局は自分の本心や相手の本質を見落とすことに繋がるのではないでしょうか。

私がおすすめしたいのは、相手からの言動に違和感を覚えたら、「あの言い方で、私は確実に傷ついた」「あの態度は、○○さんに対して失礼だ」などと、いったん判断する癖をつけることです。

違和感を明確にしておけば、あなた自身が大切にしている価値観を守れますし、相手とある程度の距離感を保ちながら付き合うことで、ストレスを軽減できるからです。

このように「この人の態度は失礼だけど、仕事のアイディア力は素晴らしい。気をつけながら付き合えば大丈夫だ」「この人は自分の非を認めず、絶対に謝らないところがあるけれど、要望を伝えるとその通りにやってくれる人だ」などと相手から感じるストレスと相手の持つ長所を見極めながら、付き合っていくこともできるのです。

プライベートであれば、話していて違和感だらけの人とは縁を切ることもできるかもしれませんが、仕事となれば、ばっさりと縁を切れないこともあるでしょう。失礼な言動というのは、「そのとき、たまたま出た」というよりは、その人の人柄や考え方の一部が露呈したケースが多いことは否めません。

ですから**相手から受ける違和感をうまく処理しながら付き合っていくという発想こそが、心穏やかに生きていく秘訣**なのではないでしょうか。

私たちは、考え方をほんの少し変えるだけで、もっとストレスフリーに会話ができますし、自分らしく堂々と人付き合いを楽しむことができるのです！

「ありのままの自分」でお見合いするな

かれこれ10年くらい前に、当時30代前半だった研修講師の友人が「とても素敵な人がいるから、お見合いしてみたら」と、同じ業界の先輩にすすめられてある男性と身上書《しんじょうしょ》を交換することになりました。

その後、相手の身上書を受け取った彼女から私に相談がありました。

「私は結婚相手への理想も高くはないし、高望みなどするつもりも全くないのだけれど、この身上書を見て、なんだかとても悲しくなってしまったの」といって、先輩が紹介してくれた40代の男性が書いた直筆の身上書と写真を見せてくれました。

ちなみに、彼女はコミュニケーション能力が抜群に高く、明るく謙虚で気配りの達人といえるほど誰とでも気持ちよく会話ができる女性で、同性の私から見ても魅力を感じるほどです。

ファッションや生活はシンプルで、独立心が旺盛なので男性の収入に関してはほとんど気にせず、地に足のついた女性なのですが、彼女が見せてくれた身上書とは……。

まず目に飛び込んできたのは、封筒と便箋についた油のような汚れと、数カ所の書き損じを直したことが明らかな文面でした。

読み進めると、字がうまい下手ということは別にして、走り書きを思わせるようなぞんざいな文字。文章が読みづらく、ほんの数行、目にしただけで心配になるほどでした。

さらには、ご本人の写真。

シミだらけで、ぼろぼろの襖《ふすま》の前で（言葉が悪くて申し訳ないのですが「おんぼろ」という状態）、ニコリともせず、よれよれのTシャツに寝癖のついたボサボサの髪のままでのスナップ写真だったのです。

結局、彼女はその男性を紹介してくれた先輩女性に丁重に詫びて、失礼にならないよう「遠距離でのお付き合いに、今はまだ自信が持てない」という理由でお見合いを中止してほしいと伝えました。

先輩女性は「それはとても失礼なことですよ。あなたはもう30代なんだし、理想ばかり追っていては結婚できないんだから」と激怒したそうです。

紹介者である先輩女性は、汚れやシミのついた封筒を受け取ったとき、本当に何も感じなかったのでしょうか。

内面が素敵な男性なのであれば、それをわかってもらえるよう身上書の書き方や写真の撮り方の具体的なアドバイスを男性にしてあげてもよかったのかもしれません。

もしかしたら「ありのままの自分を見てほしい」との思いがあって、何事においても飾らない男性だったのかもしれません。

しかしながら、一生のパートナーを真剣に決めようとしている相手に対して、きれいな封筒や便箋のまま身上書を送るといった基本的なマナーにさえ気が配れないということは、社会人として決定的にマイナスの印象です。

「これがありのままの自分だから受け入れてもらうしかない」「ムリはしたくない」などといった考え方では、他人同士が一つ屋根の下で家族として生活をしていく上での覚悟や努力がほぼないということになります。

別人のように写真を加工したり、誰かに代筆を頼むなど、ウソをついてまで見た目をよくする必要はありません。

ただ、自分のことを知ってほしいという真剣な思いがあるのであれば、少しでも健康的でたくましく、「会って話してみたい！」と相手に思わせる最低限の工夫と努力は必要です。

ここでいう最低限とは、まず封筒と便箋を汚してしまったら、新しいものに書き直し、シワのないシャツを着て、寝癖を直し、口角を上げて写真に写るというレベルです。

わざわざ汚れた襖の前で撮影することはなく、青空の下で写真を撮ってもらうなど、お金も手間もかからない簡単なことを実践するだけでも十分なのです。

手紙に関しては内容を考え、下書きをして清書するといった小学生のときに習った作文の書き方を生かすだけで、丁寧な文章を書くことができるでしょう。

赤の他人の私がいうのも本当におこがましいですが、「ありのまま」の自分を受け止めてくれる人がいるほど、世の中は甘くないのではないでしょうか。

「ありのまま＝自然体」という人もいるかもしれませんが、お見合いや会社の面接など人生を左右するほどの重要な場面では、「ありのまま＝一切、相手への歩み寄りの努力をしない人」と捉えられてしまいます。

世界中を探せば、先程の男性の身上書と写真で「ぜひお会いしたい！」と思う女性がいるかもしれません。

しかし、彼の提示した「ありのままの姿」では、女性との出会いのチャンスを見つけるのは簡単とはいえないでしょう。

そこで、ありのままというのは「**現在の自分を最も礼儀正しく見せる姿**」であると考えてみるとよいのではないでしょうか。

相手の気持ちやニーズをちゃんと受け止め、相手を理解したいから自分のこともきちんと理解してほしいと思える人にこそ、さまざまな場面で相手からアプローチしてもらえるチャンスが訪れるのですから！

相手が話した言葉は、すべて拾え

あなたが仕事やプライベートで大切にしている人が、「冬休みは、祖母を連れて温泉旅行をしました」と話したとしましょう。

あなたは、どのように反応されますか？

「うわっ、温泉だなんていいですね」「冬の温泉かあ、羨ましいな」「どちらの温泉ですか？」などと、反応する方が多いと思います。

そこで今回、着目してほしいのは「祖母と」という言葉です。

私たちは大抵の場合、「オープンにした情報＝相手に興味を持ってほしい情報」という判断のもと、一つひとつの情報を言葉に置き換えて声に出していると考えられます。

ということは、あえて口にしている言葉には、「相手に受け止めてほしい情報」、いわば「知ってほしい」「気にかけてほしい」「引き出してほしい」「深掘りしてほしい」「心配してほしい」「もっと話したい」という願望が少なからず込められているのではないでしょうか。

「○○さん、お久しぶり！　ご主人はお元気？」と聞かれて、「おかげさまで元気に仕事に行っています。相変わらず家のことは何もしてくれないけどね」と、答える女性がいたとしましょう。

「夫は元気」と答えてはいるものの、「家のことを何もしてくれないから、ストレスが溜まっている」という本音が隠れているのかもしれません。

そこで、「ご主人、そうなんだ……。大変ね」というだけではなく、「○○さん、家のことを全部、お一人でテキパキとこなして、さすがね！」などと反応すれば、自分のことをわかってくれる人がいると感じられて、少しは救われた気分になるのではないでしょうか。

また、ばったり会った人に「最近、お忙しいですか」と聞いて、「おかげさまで元気にしています。先週は九州に出張していたんです」などと相手が答えたとしましょう。

「出張でした」というだけでなく、あえて「九州」という地名を出したところに、具体的に九州に関して「何か触れてほしい」といった思いが潜在的にあるのかもしれません。

そんなときには、「そうでしたか。ご出張、お疲れさまでした。お仕事ですから、お時間はあまりなかったかもしれませんが、九州で何か美味しい食事はできましたか？」などと聞いてみたら、相手は喜んで話を聞かせてくれるでしょう。

特に、相手が人名や地名などを口にするときは、その情報に対する愛着、または何らかの執着があると考え、それらを丁寧にすくい上げるのは、鋭い観察力を持った聞き上手な人だと感じます。

最初の事例に戻りますと、「温泉」だけに反応するよりも、「お祖母様とご一緒の旅行だなんて、素敵ですね」「お祖母様と仲がよろしいんですね！　○○さんは、なんて素敵なお孫さんなのでしょう。お祖母様もきっと喜ばれたのではないでしょうか」などと相手と祖母の関係性にまで言及できると、話し手は嬉しく感じるのではないでしょうか。

私は、相手の発する言葉の中で具体的に話している人物や地名、心情などがあれば、すべてすくいとり、どの言葉について自分が反応すべきか、優先順位をランキングパネルにして頭の中でイメージし、相手の話に合わせて順位を入れ替えながら話を聞いています。

それらをタイミングよく、「お祖母様はお近くにお住まいなのですか？」「九州へはよく行かれるのですか？」などと質問に生かしたり、何気なく話に挟み込んだりしています。

このように相手が話したことをもとにして質問をすることで、いかに興味を持って話を聞いているかを感じてもらえるのです。

また、「先週、家族からうつされた風邪が、ようやく治ったんですよ」と話している人がいたとします。

「それは大変でしたね」という言葉が浮かんだとしたら、あなたは思いやりのある方です。

ただ、相手が発した言葉の情報からすると、実は、もう一つだけ付け加えたいことがあるのです。

本人の体調への気遣いとともに、もともと風邪を引いていたご家族のことにまで反応できたら、どうでしょう。

例えば、「○○さん、それはお辛かったですね。ご家族の方も回復されましたか？先週はご家族の看病もあったでしょうから、お疲れだったでしょうね。食欲や体力は戻られましたか？　そんな大変だった時期の直後に、今日はお時間を作っていただきまして、ありがとうございます」と反応してみてはいかがでしょう。

「風邪による本人のしんどさ」「家族の看病の大変さ」の視点から、相手を思いやる言葉をかけてあげられたら、あなたへの信頼度は格段に上がります。

私自身、深い考えもなく発言したことに、相手が言葉の一つひとつを丁寧にすくい上げてくれ、心配してくれたり、温かい言葉をかけてくれると、「なんて優しい人なんだろう」「なんて余裕のある人なんだろう」などと感じて、自分も相手のことを気にかけたいと心に留めるようになります。

打ち合わせで話をしている間、何度か咳をしていた相手に「大丈夫ですか？」と瞬時に聞くことができれば、すでに気遣いのできる人だといえますが、帰り際に「早く咳がおさまるといいですね。お大事になさってくださいね」とプラスして伝えられれば、より深い洞察力と親切心が感じられます。

相手が話したことをすべて拾うなんて面倒だとか、大変すぎると思っている人からすると、少々ハードルが高く思えるかもしれませんが、「この人とは仲よくなりたい！」「この人には信頼されたい」「この人と一緒に仕事がしたい」などという強い意志と目的があれば、まずは会話の中に出てくる次のようなポイントに着目してみることをおすすめします。

〈反応すべき言葉のリスト〉

・人物

「祖母」「会社の同僚の○○さん」「友人の○○さん」「父」など

・具体的な場所（地名、店名など）

「九州への出張」「大阪にある○○というお好み焼き屋」「横浜のＡＢＣビルにある○○書店」など

・具体的な時間

「今日は午後3時までに会社に戻らないといけない」「土曜日は正午に歯科の予約がある」など

・**相手が多く発する言葉**

「あまり体調がよくない」「忙しい」「嬉しいことがある」「○○先輩からのアドバイスで」など

反応すべき言葉のリストを活用しながら、「風邪を引いた話＝辛い」という発想にとどまらず、常に、もっと相手の状況や心情に寄り添える反応を探し続けてみましょう。

「感じよく、話を聞く」というような上辺だけの技術は不要です。

話に耳を澄まし、相手にとって大切な言葉の優先順位を考えるだけでいいのです。

あなたが「もっとこの人の役に立ちたい」「この人にとっての特別な人になりたい」などと思えば思うほど、これまで以上に相手の話を深く受け止め、また広げることが可能になるのです。

「売り切れです」という店員にはなるな

相手が話すことに対して、そのつど質問を挟んでいては、話の腰を折ってしまいます。

ですから、前項の「相手が話した言葉は、すべて拾え」で述べた〈反応すべき言葉のリスト〉を活用し、相手が発した言葉で、気になる言葉を頭の片隅にキープしながら話を聞き、タイミングを見計らって質問したり、深掘りすることをおすすめします。

最近、「なぜ、その言葉を拾わなかった！」と勝手に私が残念に思ったエピソードがあります。

とある都内のカフェに、持ち帰り用にサンドイッチを買いに行ったときのことです。

すでに店内にいた女性客が店員に何かを説明したくて、スマートフォンの画面を人差し指で、ものすごい速さで動かしている姿が目に入りました。

「甥っ子に頼まれたケーキがあるのですが……。あっ、あった、あった。ミルフィーユです！　今日はまだありますか？」と店員に尋ねたのです。

すると、その店員は「今日はもう売り切れました」とだけ素っ気なく答えてぼんやりと立っていたのでした。

もしも、あなたが店員の立場だったらどのように反応しますか？

想像してみると、その女性客は甥御さんを喜ばせたくて、リクエストのあった「ミルフィーユ」をどうしても買ってあげたかったのでしょう。

あるいは、甥御さんの怪我や病気のお見舞いだったかもしれませんし、特別なお祝いごとがあって、どうしても手に入れたかったのかもしれません。

いずれにしても、きっと甥御さんの笑顔が見たくて「ミルフィーユ」を探して、お店に来られたお客様なのです。

リクエストされた「ミルフィーユ」を買うために、わざわざ電車やバスを乗り継いで、時間をかけて来ていたのかもしれません。

あるいはその逆で、その女性がお店のすぐ近所にお住まいだったとしても、相手の事情が全くわからない中での会話では、常に大変な状況を考えておくほうが失礼に当たる言動を避けられます。

そのように想像していくと、どのように反応すべきであるかが自ずと見えてくるかと思います。

「申し訳ございません。せっかく甥御さんからのリクエストでしたのに、本日は売り切れてしまいました。もしよろしければ、他に甥御さんがお好きな種類のケーキがございましたら教えていただけますか？」

さて、ここでのポイントは、「甥っ子」と発した、女性客の一言です。

私たちは何かを説明するときに、「誰か」のことを情報として発していることが多々あると前述しました。

相手が発した大切な「誰か」について、あえて聞き手が「甥御さん」と発することで、相手との距離が一気に縮まるのです。

さらに、「ミルフィーユはもうない。どうしよう」という失望で頭がいっぱいになっている状況において、他の提案をしてくれる店員さんがいたら、とても心強いですよね。そういった反応であれば、たとえ目当てのミルフィーユがなくても、気持ちよく別のケーキを選んで買っていかれるのではないでしょうか。

お目当てのものを求めてわざわざお店まで足を運んだのに、「もう売り切れました」「もう終わりました」という言葉をそっけなく言われてしまっては、「じゃあ、結構です」といって店を出ていく人が大半でしょう。そのような接客は、残念ながら、プロの接客とはいえません。

同じように別の事例でも考えてみましょう。

「こちらのどら焼きをお土産に持っていくと、施設にいる母が、とても喜んでくれるんです」と話すお客様がいたら、「まあ、それはとても嬉しいです！　ありがとうございます。施設にいらっしゃるお母様にも、どうぞよろしくお伝えください。ぜひ、またのご来店をお待ちしております」と伝えることができます。

それとは対象的に、「そうなんですね」と一言だけで反応する店員がいるとすれば、相手の話を何も受け止めていないように聞こえてしまいます。

まずは、相手が発する「主語」や「気持ちを表す言葉」を注意して聞き取ることが最初のステップです。

それは英語のリスニング問題の対策として学校で習ったことのある、「疑問詞」の［What］［Why］［When］［Where］［Who］を聞き逃さないという感覚と同じです。

疑問詞さえ聞き取ることができれば、その問題の答えが「人数なのか」「日数なのか」「場所についてなのか」がわかります。

それと同じように、相手の言葉を活用するには、まず単語自体を情報として掴みます。

さあ、まずは肩の力を抜き、表情を柔らかくして（肩を回して、口を大きくはっきり開けながら「あいうえお」と発声してみましょう）、あなたがこれまで以上に信頼される人へと歩んでいくために、相手の発する一語一語をより真剣に聞き取ってみましょう。

ロクに話を聞かず、決めつける人たち

「というわけで、私にもこんな辛い経験があったのよ。そんなことがあったけれども私は今、こうして生きているの。だからあなたも元気を出して」

ある恋愛ドラマを見ていたら、失恋して肩を落としていた会社の後輩に対して、先輩がビルの屋上で自分の辛かった経験を話すと、後輩は「そうだったのですね」という台詞をつぶやくシーンがありました。

それを見ていた私は、「あらら、結局、先輩が話題を奪ってしまった」としか思えま

せんでした。

別のドラマでは、悩みを抱えて問題行動を起こしたけれども、ずっと黙り込んでいる高校生に対して「先生も昔はいろいろとあったんだよ」などと教師が自分の体験談を延々と話し続けるシーンもありました。

後輩や生徒から尊敬されていればまだしも、そうでなければ、失恋した女性も、深い悩みを抱えた高校生も、「え〜！　結局、自分の話かい！」と、つっこみたくなるのではないでしょうか。

「自分のために話してくれたんだな。先輩のおかげで元気が出た」「さすが先生。過去にはいろいろなことがあったんだ」などと冷静に前向きに捉えられる人ばかりではありません。

アドバイスやお説教をしたがる人というのは、「自分が話をすれば、相手は心を開いてくれるはず」と思い込んでいることが多い気がします。

もしも私自身が失恋した女性であり、悩み多き高校生の立場でしたら、落ち込んでいるときに、自分のことばかり話す人の姿は、「自分好きな大人」にしか見えません。

その場では「わかりました」と納得したふりをしても、内心では「この人に話しても無駄だった」と思うだけです。

人が相手に決めつけるようなことをいうのは、「決めつけたほうがよっぽど楽で、問題が片づいたと錯覚できるから」、そして説教をすることに関しては、「説教というものが、説教する人の精神衛生上、大いに役立つものであるから」と、臨床心理学者の河合隼雄氏はご著書に書かれています。

仕事でもプライベートでも、私は河合隼雄氏の本の言葉に励まされることが多く、また人と接する上での本質を教わっています。

相手の話を聞かず、相手の沈黙に付き合う覚悟もないままに、「まずは自分のことを話してから」「自分の経験を話せば相手も喜ぶ」といった考え方は、実はとてもおこがましく、相手に対し、非常に失礼なことなのではないでしょうか。

相手が信頼できるかどうかは、あなたの悩みを聞いた相手がどういったことを話すかでわかるのかもしれません。

よかれと思って自分のことを話せば話すほど、実は相手は「この人に話すべきではなかった」と感じて距離を置こうとするのです。

どんなに立派な経験をしている人でも、自分のことを話すだけでは、人の心を開くことはできないのです。

それは話の内容のよし悪しではなく、自分のことばかり話そうとする姿勢に失望させられるからなのです。

大切な人の問題を解決したいのであれば、自分が気分よく話すのではなく、辛抱強く相手の話を聞き、理解しようとする態度こそが重要であり、それが本当に寄り添うということなのです。

勝手に「夫婦」と決めつけない

20代の頃、私は国内の航空会社で客室乗務員をしていました。

入社してトレーニングを終え、フライトに出るようになって数カ月した頃、私が発したある一言で、お客様からひどく怒鳴られたことがありました。

それは、私が毛布を持ってキャビンパトロール（機内を巡回しながらサービスを承ったり、お客様の様子を確認する業務）をしていたときのことです。

60代くらいの男性と女性のペアのお客様が隣同士に座っていたのですが、男性の方が私と目が合うと、「一枚」といいながら手を上げて毛布をリクエストされたので、「はい、どうぞお使いくださいい」といって手渡しました。

すぐさま「奥様はいかがでしょうか？」と、隣の座席にいた女性に向けて声をかけたところ、毛布を受け取った男性が「奥さんじゃねえよ！」と、周囲の人も驚くほどの剣幕で私を怒鳴ったのです。

そのときは、意味がよくわからないまま「申し訳ございませんでした」と慌てて平謝りして、席を離れました。

先輩にそのことを報告すると、「私たちには見えない事情があるからね。ご夫婦とかご家族とか決めつけないで、お一人お一人のお客様と接するようにしなさい」と教えてくれたのでした。

結局、何がお客様の逆鱗に触れたのかは謎のままですが、私が「奥様」といったことに何らかの不愉快な理由があったことは間違いありません。

初対面の相手に対する呼び方については、こちらの勝手な思い込みで口にしてはいけないことを、身を以《もっ》て学びました。

このような「見た目」の情報で決めつけてしまうことのほか、「これだから男性は雑で嫌だ」「Ａ型の人は神経質だ」「○○さんは絶対いい人だ」などと、自身の思い込みによる発言をする人もいます。

人それぞれに価値観を自由に持つことはいいとしても、それをためらうことなく人前で口に出すことには注意が必要です。

思い込みによって決めつけた言い方は、結局は視野の狭さを人に見せているにすぎないのです。

年齢や性別・国籍にかかわらず、一人ひとりに様々な特徴があります。「○○だから□□だ」という言い回しをやめるだけで、思い込みによる失言を避けることができるのです。

「うちの旦那」とはいわないほうがいい

以前、言語学者の金田一秀穂氏への某媒体に掲載されていたインタビュー記事に、とても印象的な言葉がありました。

若者言葉や二重敬語などに関して、「そういった言葉は『乱れ』ではなく、『変化』なのだ」という趣旨のことをおっしゃっていたのです。

最終的には、自分らしい言葉で話すほうが相手に気持ちが伝わりやすいと締めくくられていて、深い納得とともに、金田一氏の柔軟性のある考え方は大きな学びになりました。

その記事を読んで、言葉遣いが「正しい」「間違い」という基準だけで人を見るよりも、コミュニケーションは、その人の表情、声、会話中の気配り、話す内容にこそ意味があるのだと再認識することもできました。

ただ、使い方が明らかにおかしい場合もあります。

「うちの社長さんが、そのようにおっしゃっていますので……」などと話す人がいたら、内容よりも「敬語の使い方は大丈夫かな？」と気になることもあります（念のため、正しくは「弊社社長の山田が、そのように申しております」になります)。

「句読点《くとうてん》」を「くどくてん」といったり、『情けは人の為ならず』だから、部下を甘やかしてはいけない」などと意味を履き違えている場合も見受けられます(「情けは人の為ならず」＝人に親切にすれば、いつかよい報いが自分に返ってくるという意味)。

そういう正解、不正解がはっきりとしている敬語、漢字の読み方や言葉遣いは、いうまでもなく、社会で生活する大人のたしなみとして、時間のあるときに学んでおけばよいでしょう。

ただ、「丁寧さにかける」「乱暴に聞こえてしまう」「人としての裏表を感じてしまう」ような言葉遣いには、一日も早く気づいたほうが得策ではないでしょうか。

例えばレストランで、「注文したコーヒーがまだこないんですけど」と伝えたとき、「まじっすか」という店員がいたら、驚きませんか?

つまり、相手が心地よく思えて、お互いの立場や、会話の目的、状況や環境などにふさわしい言葉を選ぶことで、はじめて言葉というものは生きてくるのです。

それからもう一つ、自分でその言葉を使ってみて、しっくりくるのか、あるいはどこかすっきりせず、もやもやが残ったり、荒っぽく感じられたり、へつらうような違和感があるときには、そういった言葉を見直す絶好のチャンスです。

例えば、私が違和感を覚える言葉は次の通りです。

〈なぜか違和感を覚える言葉リスト〉

「（お客様に対して）これは、めちゃめちゃヤバいですよね」↓「うわっ、とてもお似合いですね」

「ヤバッ！　忘れ物した……」↓「どうしよう！　忘れ物をした……」

「おやじギャグ、ウケる！」↓「おじさんギャグって最高！」

「うちの旦那が」↓「夫が」

「うちの嫁が」↓「妻が／奥さんが」

「あのじじいが」↓「おじいちゃんが」「ご高齢の男性」「お年を召された男性の方」

「もうばばあだから」↓「もうおばちゃんだから」

「私のお友達が」↓「私の友達が」

「面倒くさい」「嘘くさい」↓「面倒だ」「嘘っぽい」

「寿司屋に行きたい」↓「お寿司屋さんに行きたい」

「まじで!?」↓「そうだったの!?」

「チャリに乗って行きます」↓「自転車に乗って行きます」

「さっさと行きましょう」↓「すぐに出発しましょう」

「とっとと食べてよ」↓「もう少し急ごうよ」

「工場に急ぎでやらせているから大丈夫です」↓「工場に急いでもらっていますので、ご安心ください」

「もらったお土産食べますか？」↓「頂いたお土産、よろしければご一緒にいかがですか？」

「操作が簡単なやつがいい」↓「操作が簡単なものがいい」

「気持ち悪くなるほど食べたから吐きそう」↓「服のウエストがはち切れるほど食べてお腹いっぱい」

「このお菓子、まずっ」↓「ちょっと合わないかも」「思っていたのと違ったかも」

「きもい夢を見た」↓「ゾッとするような怖い夢を見た」

「うちの犬バカなんです」↓「うちの犬おバカなんです」

「こいつ、面白いんですよ」↓「この人、面白いんですよ」

「うちの会社にもバイトと派遣、いるよ」↓「うちの会社にもアルバイトと派遣社員の方がいるよ」

「おにぎり、でかっ！」↓「このおにぎり、凄く大きい！」

「外人が多い」↓「外国の方が多い」

「この間死んだ人で……」↓「この間、病気で亡くなった方で……」


あくまでも、私の個人的なリストですし、年代や男女によっても違いがあるかと思いますが、あなたにも日頃違和感を覚える言葉がいくつかあったのではないでしょうか。

リストの中の言葉を使っている人を見るたびに軽蔑しているなどといった、大げさなことではありません。人によって、またそのときどきのシチュエーションや関係によっては、あえて「ヤバい！　死ぬほどうまい」「まじ、泣きそう」などという使い方のほうが、心情をより表現できるときもあるからです。

また、「うちの犬って、本当にバカなんです。でも、それが愛しくて……」などという人がいたら、「バカ」という言葉が愛情の裏返しであることは明らかで、誰かを傷つけたり乱暴な言葉には聞こえません。

ただ、「派遣がさあ」「外人がさあ」「工場にやらせている」「きもいよね」「死んだ人でさあ」などといった、乱暴に聞こえたり、人を見下しているような言葉、死を軽々しく口にするような言い方に関しては、特に注意を払うべきです。

そういった言葉遣いをしている相手が目の前にいたら、私はがっかりし、内心かなり引いてしまいます。

言葉には、どこかしら、その人の本性がにじみ出るものです。

「きもい」という言葉を使っている人の周りには、その言葉が誰かを傷つけたり、発する人の品位を下げてしまうという感覚がない人が多いのかもしれません。

もしそうだとすると、そのような環境の中では、言葉の感覚が麻痺してしまいます。

ご本人に、よほどの強い意志がある場合は別ですが、次第にそうした言葉を仲間以外の人にためらいなく使ってしまう可能性が高くなります。

そのためらいとは、恥じらいからくるものであり、「こういう言葉を使ったらどう思われるか」など、言葉を選ぶときに恥じらいがうまく作動しないと、言葉は乱暴にも下品にも変化してしまうのです。

ちなみに、「きもい」という言葉は、一生、使わなくても困ることのない言葉の一つです。

一方、「ありがとう」「ごめんなさい」「好きです」「尊敬しています」などという言葉は、ずっと、何度でも使いたい宝となる言葉です。

使いたい言葉と、使わなくてもよい言葉の整理をしてみると、人との関係に新たな展開が生まれそうですね！

咄嗟の一言に「育ち」が出る

「育ち」などというと、私自身が裕福な良家の出身のように聞こえてしまうかもしれませんが、それは大きな誤解であるということを、予めはっきりと伝えておきます。

私が小学校を卒業するまで、父は一家を支える大黒柱として会社に勤め、サラリーマンの平均的なお給料だけで母と4人の子どもたちを養い、家族で埼玉県の田園の中にある静かな町に暮らしていました。

当時、食べ物に困るほどのことはありませんでしたし、習い事もいくつかさせてもらえましたが、贅沢な暮らしとは程遠く、堅実で前向きな両親の下、質素な生活を送っていました。

そんな私が、「育ち」について考えるようになったのは、子どもの頃から母が、「氏《うじ》より育ち」と、よく口にしていたからかもしれません。

ご存じの方も多いかと思いますが、「氏より育ち」とは、人は家柄や身分ではなく、育った環境やしつけのほうに強い影響を受けるという意味です。

私の場合、挨拶や人の家にお邪魔するときの礼儀、箸の持ち方や、食事中に肘をつかないとか、音をたてずに食べる、魚をきれいに食べる、我先にと人をおしのけてまで行動するのは美しいことではない、などといった基本的なことは、母のしつけのもと、体に自然に染み込んでいきました。

本人の意思や努力とは関係のない幼少時の環境による影響は、私たちの性格形成に深く関わっているのかもしれませんが、それだけで、現在の私たちのすべてが決まるとは言い切れないのではないでしょうか。

様々な経験を通して自分で選んでいる日常の言動こそ、「育ち」の主たる要素となります。

たとえ幼少時の環境に恵まれず、言葉遣いやマナーを教えてくれる人がいなかったとしても、周りの人を見て学び、マナーへの意識が高い子どももいます。

また、社会人になり、自分でお金を稼いだり、様々な価値観の人の中で揉まれることで、自ら変わろうと努力する人もいます。

つまり運命として与えられた環境だけでなく、個人の想像力と培ってきた感覚から本人が選択した言動こそが、本当の「育ち」であると私は考えています。

そんな「育ち」に関して、仮に裕福な家庭で育ち、ご両親が立派な方で、常日頃から人と接するときの言葉遣いや、所作に対するアドバイスを受けてきた人でも、それらを実践できるかどうかは別問題です。

まさに中国の思想家孔子の『論語』の一節、「学びて思わざれば即ち罔《くら》し」にある通り、自分で考え、学ばなければ、身につかないのです。

先日、スーパーで紅茶の棚を見ていると、「ぎゃっ、やだー！」と、私のすぐ後ろから声が聞こえました。

なんと、その女性は手に持っていたコーヒーショップの一番大きなサイズのカップを落として、中身を床にこぼしてしまったのです。

床には、飛び散ったコーヒーで直径１・５ｍ級の水たまりができていました。

こういう予想だにしないハプニングが起きたときに、「育ち」という名の本性が出てきます。

まず私は、「うわー、なんたることだ！　スカートにコーヒーがかかっちゃったよ」と頭の中でつぶやきながら、おろしたての自分のスカートばかりを気にしていました。

次に、コーヒーをこぼした女性は、「ごめんなさいね。コーヒーがかかっちゃったかしら」といっているのですが、特に動こうとはせず、ただ立っているだけでした。

たまたま気づいた女性店員が駆けつけてくれて、手際よく床を拭きながらも、私のことを気にかけてくれ、スカートのシミについてはウェットティッシュで応急処置をしてくれました。

床のコーヒーがすっかりきれいになり、少し落ち着きを取り戻したところで、私自身は「大丈夫です！　気にしないでください」と動揺を抑えながら笑顔で伝え、その場を去るべきか迷っていたとき、コーヒーをこぼした女性が私に向かって、

「どうしましょう。クリーニング代をお支払いしましょうか？」と小声でいうと、「あっ、でも細かいお金がないわ」とお財布の中を見せてきました。

彼女のいう「細かいお金」が、いくらを意味しているのかはわからなかったのですが、千円札が入っていることだけはわかりました。

その様子はまるで、私が「大丈夫ですよ！」「お金なんて結構ですよ」というのを期待しているようなトーンであることは明らかでした。

これはもう、私の育ちが問われている！　と勝手に自分を納得させて、「クリーニングには出さないといけないのですが、私のほうでやってみます」といい、それでおしま

いとなりました。

　その後、床を拭いたり、私を気遣ってくれたスーパーの女性が、「えっ、結局、あの方（コーヒーをこぼした女性）、お客様（私のこと）にクリーニング代をお渡ししないで帰られたんですか？　信じられません。私たちは何もお役に立てず申し訳ございません。でも、本当に申し訳ないと思っていたら、千円札を相手に握らせてでも、受け取ってもらいますけどね」と呆れ、続けて「ああいう飲みものをこぼしてトラブルを起こす人って、実は結構、多くて困っているんです。『コーヒー飲んでから来いよ！』『買い物してからコーヒー買えよ！』って、いつも思っているんです」といいました。

　親身になって私に共感してくれようとした女性の気持ちや、明るく励まそうとしてくれたことは、とてもありがたいのですが、「飲んでから来いよ！」「買えよ」という咄嗟《とっさ》の一言には、少し引いてしまいました。

　コーヒーをこぼした人はわざとではないですし、あのときは気が動転していたのかもしれませんが、店員の女性がいっていたように、おそらくクリーニング代を弁償する気は全くなかったのだと思われます。

三者、それぞれの立場での言葉や態度には恥ずかしいくらい、我々が持っている素の育ちの部分が表れてしまっていたのかもしれません（性格も影響しているでしょうが）。

スーパーでコーヒーをこぼして、知らない誰かの服にシミをつけてしまうなどというハプニングは、そうそうあることではないかもしれませんが、注意さえすれば防げることではあります。

こういった予測できない突然のハプニングでは、人それぞれの「育ち」が言葉や態度となって瞬時に露呈します。

ただ、これはすでにお話しした〈なぜか違和感を覚える言葉リスト〉をご自身で作っておき、日頃から使いたい言葉と使いたくない言葉を整理していれば、どんなときでも自在に使い分けることができます。

例えば、もしあなたが私の立場で、コーヒーを洋服にかけられてシミがついてしまったら？

あるいは、コーヒーをかけてしまったとしたら？

私の場合、実は「どうしましょう」と3回ほど声に出していいながら、相手の様子を観察していました。

あざといかもしれませんが、実際にあの状況は大丈夫ではないのに、「大丈夫です」といってしまうのも、「弁償してください」なんていうのも気が進まず、相手の出方を見てみたいと思ったからなのです。

というのも私自身、「こういうときは、どうすればいいのだろう」と頭の中で必死に考えていたからです。

そんなわけで、スカートにはシミがついて私は悲しい気持ちになり、クリーニング代もかかってしまいましたが、コーヒーをこぼした人からすれば、「はじめから『大丈夫ですよ』っていえばいいのに」などと、私に対して「全く、どんな育ちなんだか」と苛《いら》立《だ》っていたかもしれません。

あなたは自分の「育ち」、いわば普段の言動に自信が持てますか？

「育ち」は経験からの気づき、つまり物事を繰り返し考えることで鍛えられ、磨いていくことができるのです。

さあ、なりたい自分をイメージし、それを言動に落とし込み、もう一度、これからのあなたの「育ち」について私と一緒に見つめ直してみませんか！

褒め言葉の半分は嘘だと思え

「○○さんて、本当に面白いですね！」と、あなた自身がいわれたり、あるいは誰かに伝えたことはありますか？

私自身、どちらも経験があります。

もしあなたが話している相手から「○○さんて、本当に面白いですよね！」といわれたら、照れて恥ずかしい気持ちになるかもしれませんが、同時に嬉しくも感じますよね。

ところが、相手がいう「面白い」というのは、半分が嘘だと断言します。

なぜならば、半分は本当にあなたが面白いことをいったからだとしても、残りの半分はあなたに対する気遣いだと思うからです。

つまり、「こんなに楽しい気分にさせてくれてありがとう！」「あなたっていい人だわ」と思ったことによる、お礼の気持ちも含まれていると私は考えています。

もしくは、実際は大して面白くなかったとしても（ズバリいってしまってごめんなさい）、あなたが笑わせようとしてくれたことに対する「ありがとう」という気持ちを、面白いという言葉に置き換えているだけかもしれません。

そのように考えると、あなたが面白いことをいう人だから、ということだけで相手が満たされているわけではなく、自分を楽しませようとしてくれたあなたの思いやりに対して、相手はあなたを喜ばせようとしているのではないでしょうか。

これは、人気歌手がコンサート会場で歌やダンスのパフォーマンスの後に、「みんな、ありがとう！」ということがありますが、それを見て感動している自分こそが「ありがとう」といいたくなる気持ちに似ています。

「本当に面白い」「最高に笑ったよ」「涙が出るほどおかしいね」などと相手がいってくれたとすれば、それはあなたがそれだけ人を幸せな気持ちにさせているということであり、また、相手があなたに「ありがとう」という思いを含め、どうにかしてあなたのことを喜ばせたいという感情がわき起こったという表れでもあるのです。

そこで、考えていただきたいのは、言葉の背景にある相手の気持ちについてです。

「○○さんて、本当に頭がいいのね」「さすが物知りだわ」などといわれたとしても、その半分は、あなたを喜ばせたいという相手の気遣いだということです。

そういったことを理解している人は、すぐさま「ありがとうございます」とお礼を声に出して伝えることができます。

言葉のやりとりは、このような互いの気遣いの連続で成り立っていると私は考えています。

「頭がよい」「博識でいらっしゃる」「気配りが素晴らしい」などと嬉しいことをいわれても、「相手の褒め言葉の半分は気遣い」ということを常に念頭に置いて会話をしている人は、威張ったり、横柄な態度になることはありません。

「あなたといると、いつもお腹の底から笑っちゃう！」といわれたら、自己満足に浸らずに、相手の気遣いに対して、「ありがとうございます。私のほうこそ○○さんと一緒にいると、とても楽しいです！」と反応してみませんか。

第2章 失礼な人ほど「自分は正しい」と思っている

「だから」は不快感を与える言葉

仕事でもプライベートでも、「教えてあげている」「いちいち面倒だな」などといった上から目線や、イライラしながら投げやり感を顕《あらわ》にして話をしている人はいませんか？

それは態度だけでなく言葉の中にも確実に出ています。

例えば、「だから」「っていうか」などの言葉を連発している場合です。

これらの言葉には、自分の意見が絶対的に正しく、また自分が発言する時間を人に邪魔されたくないといった傲慢《ごうまん》さを感じます。

会社の後輩が先輩に、「入力の仕方はこれで合っていますか？」と聞いたとき、先輩が「だから、これは大きい数字が上になるようにしてください」といえば、後輩はあまりいい気持ちはしないでしょうし、次に確認するのが怖くなるでしょう。

先輩のほうも、「ああ、これは大きい数字が上になるようにしてくださいね」といえば、角も立たず、お互い気持ちよく仕事が進められるはずです。

普段の生活においても、まるで口癖のように「だから」「っていうか」を連発する人がいます。そういう人と話していると、聞き手は毎回、否定されているような気持ちになり、ストレスを感じます。

「ざっくばらんに何でも質問してください」という60代の社長が、若手社員の研修で質問タイムを設けたとき、答えるたびに「だから、それは……」「っていうかね、君……」「だからね……」などと毎回前置きして話し始めるのを見たことがあります。

もちろん、突拍子もない質問や、明らかにそれまでの話を聞いていなかったとみられるような浅はかな内容の場合を除きますが、勇気を出して質問してくれた人に、むやみに恥をかかせるような反応は好ましくありません。

あるとき、平熱ではあるものの、不調が数日続き、内科で診てもらったときに、次のようなやりとりがありました。

私　「先生、熱もないのに体がだるくて、めまいもすることが初めてなんです」

医師　「だから、人には体調の変化がありますからね。なんともいえないですよね」

私「単なる疲れなのでしょうか？」

医師「んー、っていうか、疲れもストレスも常に人は感じていますのでね。一概に、疲れだけが原因とはいえません」

私「もう何日も、こんな症状が続いているので、何か原因がわかる検査などはありませんか？」

医師「だから、何でも私たちが解決できるわけではないので、とりあえず様子を見てみてください」

私「……」

見事にすべてがネガティブ返答！　といった感じで、初診料を支払ってまで受診したのに、体調や気分がよくなるどころか、さらに悪化したのではないかと思う状態で帰宅しました。

医師だからといって、すべての不調を治してくれるとは思っていませんが、「だから」「っていうか」といった言葉は不要で、「そうでしたか」「なるほど」「それでは、もう少しだけ様子を見てみましょう」などという言葉に換えるだけで、患者の不安は取り除けたはずです。

こちらが話すことのすべてが否定されるような診察だったので、それ以上、話しても無駄だと感じて早々に切り上げ、二度と受診することはありませんでした。

時と場合によっては、「失礼」では済まず、不要な恨みを買ってしまうかもしれない言葉でもあるので、「だから」「っていうか」をひんぱんに使っていないか、今一度振り返ってみましょう。

お客様を「さん」づけで呼ぶな

以前、私のプレゼンセミナーを受講してくれた40代の会社員女性と、セミナー後に言葉遣いについて話をしたときのことです。

「去年から年に2回ほど、職場の数名で打ち上げなどで行く素敵なフレンチレストランがあって、私が幹事をしています。そちらのマネージャーの男性が、予約確認のメールに、去年までは『渡辺様』だったのに、急に『渡辺さん』と書くようになって、その距離感に戸惑ってしまいました」と話してくれました。

すると、一緒にいた30代の会社員女性も「わかります！　それは何か違いますよね」と共感していました。

実は、私にも同じような経験が数回ありました。

私に商品を売り込みたい営業の方から送られてくるメールの宛名が、それまでは「吉原様」だったのが、いつしか「吉原さん」に変わっていたのです。

仕事上の付き合いの中で、呼び方をカジュアル化されてしまったことに思わず首を傾げずにはいられませんでした。

「吉原さん」という宛名は、ビジネス上の立ち位置を一気に飛び越え、カジュアルすぎる印象を受けました。

「様」をつけることによる緊張感こそが、ビジネス上の付き合いであることの証であるにもかかわらず、勝手に友人であるかのように「さん」づけされてしまうのは、あまり気分のよいものではありません。

私自身は、仕事上の関係であれば、どんなに話が盛り上がる相手でも礼節ある言動を貫き、メールの型を崩さず、常にビジネスであることを意識している人を信用します。

仕事でサービスを提供している側が、いとも簡単に礼儀の一線を越えてしまうと、相手に対し「図々しい」「友達みたいに思われても困る」「失礼な人」という印象を与えることになりかねません。

お客様に対してフレンドリーに接したいという思いがあっても、呼び方や、言葉遣い、情報内容の精査、必要なお辞儀などの所作には一切、手を抜くべきではありません。

そういったところに手を抜かずとも、関係をより強固にしていくことはできるのですから。

もしもお客様と、まるで友人関係のようになることを目標にしている人がいるとしたら、それは独りよがりの考え方なのではないでしょうか。

「お客様とサービスを提供する側」という明確な関係性があるから、金銭が関わるトラブルが起こったときでも、ビジネスはビジネスとして遠慮せず交渉できるのです。

あらゆる業界におけるお客様のすべてが、「店員さんと友人のように仲よくしたい」「営業の人とフレンドリーな関係になりたい」と願っているわけではありません。

これは個々の価値観によって、ケースバイケースなのですが、仮に友人であるかのように「うんうん」と相づちを打ち、仕事中も自分のプライベートなことをべらべらと話すような営業担当者がいたとしたら、私は自分や家族の個人情報を話す勇気が持てません。

命を預かる医師や、看護師、介護士など医療機関で働く人なら、「背中が痛いのですね。承知いたしました」よりも、「うんうん、背中が痛いのね。なんとかしましょうね〜」と患者の緊張をほぐすためにあえてカジュアルな言い方をすることはよいですが、それでも最低限の節度は必要ではないでしょうか。

メールに関しては、どんなに関係性が良好でも、お客様へは「○○様」という宛名を貫き、またお客様から「あなたの立場もいろいろと大変でしょう」などと気遣う言葉をかけてもらったとしても、愚痴は一切言わないほうが、礼節がある人だと思われます。

仮に「ブラック企業なので、早く辞めたいです」「わがままなお客も多くて疲れます」などといった瞬間、お客様はドン引きし、あなたをプロフェッショナルとして信頼することはできなくなるでしょう。

お客様は、あなたの愚痴を聞いてあげたくて「大変でしょう？」といっているのではなく、「おかげさまで、いろいろな経験をさせていただいています！」と元気に前向きに振る舞うあなたを見て、さらに応援したいと思っているだけなのです！

場所を選ばず、プライベートな質問をするな

「ねえねえ、そういえば末っ子の○○ちゃんの受験結果、どうだった？」

「最近、心配だからといって受けた、ご主人の精密検査の結果はどうだったの？」

「先輩、先週部長からこっぴどく叱られていましたが、大丈夫でしたか？」

「先日危篤だったとおっしゃっていた、おじいさまの具合はいかがですか？」

「前に会ったとき『浮気しているかも』といっていた彼氏はどうなった？」

「『同居問題でもめてる』と話していたけど、あれからお姑さんとはどうなったの？」

「ご主人がリストラかもしれないと言っていたけれど、大丈夫？」

「ご長男は30歳でしたよね。求職中とのことでしたが、お仕事は見つかりました？」

巷では相手の人生を左右するほど重要でプライベートなことを、周りに人がいてもお構いなしに、ずけずけと聞いてくる人たちがいます。

前著の『自分のことは話すな』（幻冬舎新書）では、「プライベートなことを聞かないほうが失礼である」と述べたのですが、それは大切にしている相手への質問の意図が明確にあり、相手が安心して話せる環境に限ってのことです。

プライベートなことを聞くのは、相手との距離を縮めたいと真剣に願う人にとっては有効ですし、相手の答えを受け止めて会話の先にあるゴール（関係性、提案など）へと進むためには必要不可欠です。

ただ繰り返しますが、前提としてプライベートなことを聞くにふさわしい場所選びと丁寧な聞き方を徹底する必要があります。

前述の事例のように、身内の中だけに留めておきたいようなことを他聞をはばからず聞いてくる人がいるとしたら、それは失礼どころではなく、非常識としかいいようがありません。

相手のことを心配しているからこその質問であったり、もともと親しい関係性があって尋ねることはよいとしても、他の人にも話の内容が聞こえてしまうような場所や、他の人に知られたくない内容なのに複数の知り合いがいる中で、平然と聞いてくるような人には、驚きを隠せません。

先程のような失礼な質問に対しては、「第一志望に合格しました」とか「おかげさまで、今は峠を越えて奇跡的に回復して来週退院なんです！」などという喜ばしい報告ができるのであれば許されるかもしれませんが、常に喜ばしい報告ができるとは限りません。

あなたはプライベートなことを聞くときに、相手が安心して答えられそうな場所を選んでいますか？

場所といっても、防音設備があるような厳重な場所という意味ではありません。混み合う電車、バスの車内、会社のトイレで並んでいるとき、重たい荷物を持っているときの道端などは、落ち着いて話ができる場所にはなりません。

誰にも聞かれる心配がないひと気のない場所とタイミングを選んで話すことが、会話の最低限のマナーであり、心遣いなのです。

たとえ辺りにはひと気がなく、あなたが相手のことを心配しているといっても、「今から再就職の面接なんです」というスーツ姿の相手とばったり会ったときに、いろいろと質問することは避けなければなりません。

いうまでもありませんが、相手の心理状態を不安定にさせてしまっては、大切な面接の場で力を出しきれなくなってしまうかもしれませんから。

私はカフェで取材に応じたり、仕事のお付き合いの方と話したり、友人や家族と話すときには、着席する両隣のテーブルの人を何気なくチェックします。

隣の席に一人で座っている人の場合は、こちらに興味がなかったとしても、話が筒抜け状態です。

聞かれて困ることは、一切口に出さないのがベストだと心得ます。

内容にもよりますが、どうしても話す必要があれば、声を小さくしたり、顔を近づけてささやくようにし、固有名詞や具体的な数字の情報（住所や電話番号など）を出さずに話すように気をつけています。

また、2名以上で座っている人たちであれば、お互いに声がかき消される可能性が高いのですが、そのうちの一人がトイレや電話で席を立ったときなどは、自分の声のトーンを落とすなど、そのつど、声が聞こえていないかを考えながら話しています。

また、複数の人たちの間で特定の人の話をするときには、その特定の人物のことを、あなたが一番、知っている場合もあるでしょう。

ですから、あなた以外の人と特定の人との関係性、他のメンバーの持つ情報量や、相手の信用度（口が堅いかどうか）などを注意深く考慮し、余計なことは一切、いわずにいたいものですね。

普段から周囲の人の気配を感じて、話の内容や声のトーンなどを調整してくれる人との会話には安心感がある一方で、「○○社の社長の□□さんが」などと大きな声で話す人にはハラハラしてしまいます。

そのようなときには、相手に恥をかかせないよう、「吉田さん、個人情報が！」と、声を小さくし、目で周りに人がいるよというアピールをして気づいてもらいましょう。

大抵の場合、相手は「あっ、そうだった！」といった反応をして、それ以降は気をつけてくれるでしょう。

モヤモヤとした気分で話を我慢して聞き続けるより、思い切って、その場ですぐ相手に伝えたほうが、すっきりと問題は解決できるはずです。

「正しい敬語で話そう」「感じよく話そう」などということに意識が高い人は多くても、話す場所に関する警戒心や気配りに関しては、まだまだ脇が甘い人がいるのも事実です。

実際に私の友人知人の中にも、場所をわきまえず、プライベートでデリケートなことを聞いてくる人に困惑したことがある人は多く、「あんなに人がいる中で、うちの家族の歴史が全部わかってしまうようなことを聞いてくるなんて信じられない！」「他のスタッフがいるのに、店長が未婚の兄のことを根掘り葉掘り聞いてきて、本当に嫌だった」などと怒りや悔しさを顕にする人たちが数多くいました。

あなたは誰かとプライベートな会話をするとき、適切な場所をきちんと選んでいますか？　「この人だったらプライベートな話をしても大丈夫だ」と相手に認められることは嬉しいものです。

まずは話す内容とともに、前後左右に人がいないかを確認する習慣から始めてみましよう。

人前で注意をする残念な人たち

職場で相手への注意やアドバイスなどをする際に、周りに見せつけるかのように行う人がいます。

ときに注意とアドバイスを超えて、相手の心をずたずたにしてしまうほど責め立てて、「自分は正しいことをしてあげている」などと自己満足に浸る迷惑な人もいます。

私が20代でキャビンアテンダントとして入社した2年目くらいのときのことです。機内でお客様から預かったジャケットを着陸後に別のお客様に渡しそうになったのですが、幸い直前で気づいて、どなたにも迷惑をかけず、事なきを得たことがありました。

それを見ていたある先輩は、フライト後、10名ほどの乗員メンバーが同乗するマイクロバスの中で、滞在先のホテルまでの30分間、過去の小さなミスなども蒸し返しながら強い口調で叱責し続けました。

たまたま、最終的には誰にも迷惑をかけずに済みましたが、小さなミスや思い込みは大きな事故に繋がりかねません。ですから、少しの気の緩みも許されないのだということを教えてもらえたことはありがたいことです。

また、教育熱心であるがゆえの指導であったことは、未熟だった私自身、理解しなければなりません。

しかし、あのマイクロバスの中での出来事については、「後輩もいて、皆が聞いている中で、あそこまで執拗に、厳しい口調で話す必要があったのだろうか」といった釈然としない違和感だけが残り、ただただ落ち込み、自信を失いました。

翌日の業務に支障が出ないよう気分を切り替えるのに必死でしたが、幸運なことに、同僚や別の先輩が励ましてくれたおかげで、なんとか仕事を終えられた記憶があります。

場所は変わり、プライベートでミシュランの星がついているレストランに、友人の誕生日のお祝いで食事に行ったときのことです。

カウンターで作業していた先輩シェフが後輩シェフに対して、「ざけんなよ！　何度も言わせるな！」と私たちの２メートル先で怒鳴る場面に遭遇しました。

男性の太く低い怒鳴り声は、威圧感を増します。

楽しみにしていた親しい友人たちとの特別なランチ会でしたが、和気あいあいとしたその場の空気は一瞬にして、凍りつきました。

スタッフ同士の激しいぶつかり合いを隠さないことで、「それも含めて、うちのレストランです」と店側は主張したいのかもしれません。

しかしながらお客側からすると、迷惑以外のなにものでもありません。

仮にそのようなポリシーを貫かれたいのでしたら、お店のホームページに「お客様の前でスタッフを怒鳴りつけることがございますので、ご了承ください」と一筆書くべきだと思うのです（書くはずはないでしょうが）。

とはいえ、そういうことは全く気にならないとか、お店のポリシーを尊重するといったお客様もいるかもしれません。

しかし、少なくとも私たちにとっては、気分のよいものではありませんでした。

あなたが相手に大事なことを注意する場面では、時と場所を選ぶことが最も効果的で、賢い伝え方だと心得ておくとよいでしょう。

本当に必要な注意や心配は、「どのように言われたら、素直に受け止められるか」と想像することで、その効果がもっとも発揮されるのです。

人前で心配をする「無神経な」人たち

前項と同種のケースになりますが、「先週、不妊治療で会社を休んだと聞いたけど、どうだった？」などと男性も女性もいる職場で女性社員に尋ねるような上司がいるとします。

聞かれたご本人、そしてたまたま声が聞こえていた人たちは、どのような気分になるでしょうか。

また、満員のエレベーターの中で「お父さんの借金のこと、解決したか？」という上司がいたら、第三者としてエレベーターにいるあなたは何を思いますか？

本当に相手の気持ちがわかる人であれば、心配していることを人前で話したりせず、周りに人がいない場所で、そっと「大丈夫ですか？」などと伝えるのではないでしょうか。

周りを気にせずプライベートなことを聞く人は、一見、相手を心配しているように見えますが、実際は無神経で無作法極まりない人であると誰もが思うはずです。

たとえ本当に心配していたとしても、相手には真意が伝わらず、逆に「二度と関わりたくない人」と見なされることもあるのです。

自分自身が、そうした人にならないことを意識しつつ、もしも人前で聞かれたくないプライベートなことを聞かれたら、ケースバイケースではありますが、「場所が場所なので、またにしてください」「その話題については場所を変えて、別の機会に話をさせてください」などとはっきりと伝えてみましょう。明確にいわないと、無神経な人には伝わりませんから。

相手との関係上、話を遮ることが難しいときもあるでしょう。

しかし、こちらの要望を確実に伝えないと、相手はその後も同じようなことを聞いてくるかもしれません。

笑顔などは見せず真剣な表情で、堂々と「不快である」ということを全身で伝えられる強さを、時に持ちたいものです。

最初に情報を与えない頼みごとは時間泥棒！

あなたは、ごく最近、誰にどのような頼みごとをされましたか？　また、誰かに何かを頼みましたか？

仕事やプライベートで簡単に引き受けられることもあれば、少々骨の折れる作業であったり、時間がかかる依頼など、様々なやりとりが日常的に起こっているはずです。

そんな中、人から何かを頼まれたとき、相手の言葉一つで「この人のためなら、できることは何でもしてあげたい！」と思ったことはありませんか。

身近な例でいえば、街頭でのティッシュ配りの方が、笑顔であなたの目を見ながら、「よろしければ、ぜひお使いください！」といってティッシュを差し出したとしましょう。

怖い表情で無言のまま、無理やりティッシュを渡そうとする人よりも、「よろしければ！」という人からのほうが、ティッシュを受け取りやすくなります。

頼み方のちょっとした違いで、私たちの行動が大きく変わることがあるのです。

私がよく頼まれることでいえば、「六本木で美味しい和食のお店を教えてほしい」など、お店の情報を知人からメールで聞かれることです。

誰にでも経験のあるような、ありふれた頼みごとに見えますが、実は相手の頼み方によっては、頼まれた側がかなりの時間を割くことになってしまいます。

そのときの知人からのメールには、どんな人が食事をするのか、人数、時期、食事の目的、予算、好き嫌いやアレルギー、好みの雰囲気、和食の中でも蕎麦やすき焼き、寿司なのかなどの情報が一切ありませんでした。

そこで、情報を入手しようとメールをし、相手からの返信を待って確認するといったやりとりが始まります。

結果的に、最初にメールを受け取ってから、三つのレストランに絞り込んで知人に紹介するまで、メールのやりとりは10回以上になってしまいました。

せっかく私を頼りにして質問をしてくれたのですから、少しでも有益な情報を相手に提供したいとの思いは変わりませんでしたが、なんだかぐったりしてしまったことを覚えています。

人に頼みごとをするときには、相手が考えやすいよう、必要最低限の情報を最初に簡潔に提示したほうが、依頼された側としてはとても助かるものなのです。

人間関係というのは義理と人情で成り立っていると、私は考えています。

必要な情報が過不足なく書かれ、なおかつ丁寧で謙虚な文面であれば、頼まれた側も「頑張って力になろう！」という気持ちになるはずです。

相手に手間をとらせないよう、予め情報を明確に伝える丁寧さと、「お忙しい中、本当に恐縮なのですが、○○さんのような経験豊かな方に、ぜひ伺いたいことがあるのです……」などといった謙虚な頼み方ができれば、「一肌脱いであげたい」と多くの人が張り切って、あなたの依頼を引き受けてくれるはずです。

一方で、仮に何か頼まれて、それを果たせる自信がないのであれば、はっきりと断ることも親切というものではないでしょうか。

というのも、「いいですよ」と安請け合いしてから、結局、中途半端に終わってしまうなどといった場合、相手と自分の時間が無駄になってしまいます。

さらにはその後、相手の方は新たに引き受けてくれる人を探さなくてはなりません。

そこで依頼を受けるに当たっては、ご自身の中で揺るぎないポリシーを持つことをおすすめします。

ちなみに、私のポリシーは次のようなことです。

〈人から頼まれ事をしたときのポリシー〉

①その相手のために最後までやり遂げられる覚悟があるか考える
②自分にできることの範囲と期間を明確にする
③不安があるときは一日、考える時間をもらう
④相手の頼み方で違和感を覚えた場合は断る
⑤引き受ける場合も断る場合も、丁寧に伝える

さあ、あなたのポリシーも具体的に考えてみませんか。
頼みごとは、する側も、される側も、礼儀と謙虚さがあってこそ、なのです！

頼み方には怖いくらいに本性が出る

「頼み方」といえば、身内の恥ずかしい話になるのですが、私の父の頼み方はつっこみどころが満載です。

父は地域の英会話サークルに入っていて、自分の好きな本の一部や、自分が書いたスピーチ原稿などがあると、「大した量じゃないんだけど、ちょっとお願いがあって。イギリス人の先生に読んでほしい原稿があるから、明日までに英語に訳してくれない？」と突然、私に連絡をしてくるのです。

毎回、Ａ４判の用紙1〜2枚に、7割は解読不能な文字がぎっしりと書かれていたりします。

育ててくれた父親とはいえ、「大した量じゃないんだけど…」という前置きにも、「ええ！　相当な量なんだけど……」と言い返したくなってしまいます。

父は英会話力を身につけたくて英会話サークルに通っていますが、翻訳を私に任せてしまっては英語の勉強にならず、目的と行動が矛盾しています（笑）。

そもそも、私の英訳のレベルを勘違いしている気がするのですが、「期限が明日って！

お父さんの文字はなかなか解読できないから、余計に時間がかかるんだよ。悪いけど、私も毎日結構、忙しいんだよ。翻訳アプリもあるから、調べて使ってみたら？」といって断ると、「難しいことを頼んでいるわけでもないのに、たまちゃんは心が狭いな。こんな簡単な頼みごとを『いいよ、お父さん！』って引き受けられないなんて」などと電話を切られ、後味の悪い思いをすることがあります。

　父のことを悪くいうつもりはありません。また父には、私が小さい頃から何事にも弱音を吐かず、愚痴も言わないような尊敬できる面もあります。

　母が数年前に他界した後、心にぽっかりと穴が空いたにもかかわらず、生活のために相変わらず忙しく働きながら、趣味の水泳に没頭し、英会話サークルにも通い始めた父の姿には、たくましさすら感じています。

　それに「明日までに」「今すぐやってよ」といった頼みごとは、家族だからこそできるわけで、父が家族以外の人たちに対してもこのような失礼な頼み方をしているわけではないことはわかっています。

　ただ、父と娘という関係であっても、社会人になれば、それぞれの生活のリズムや事情があることを少しは考えてほしいのです。

命に関わることを除き、相手に準備や時間、労力を割かせてしまうような頼みごとについては、行動を起こす前に、5秒間でも考える時間を持ってみるとよいのではないでしょうか。

頼み方には、怖いくらいに本性が出ます。

「このくらいのこと、簡単じゃないか」「大したことじゃないんだから」「やってくれて当然だ」という本心がみえみえで、相手の状況も労力も一切、気にしないような頼み方では、いくら身内であっても、寝る時間を削ってまで引き受けようとは思いません。

他人であれば、なおさらです。

社内で経理部社員に聞きたいことがあったり、プレゼン資料を頼んでいた部下に追加の情報を加えてほしいときは、「月末でいつも以上に忙しいところ、本当に申し訳ないのですが……」「きっと今、手一杯だよね。そんなときに恐縮なんだけど……」などと労《ねぎら》いの言葉を加えることは必須です。

「これ、やっておいて」といわれるのと、「お昼休みの直前になってしまって本当に申し訳ないけれど、データ入力だけ今、お願いできないかな？」といわれるのとでは、印象が全く違いませんか？

　仕事ですから、頼み方が横柄だからといって断ることはできないにしても、後者のように「申し訳ない」という気持ちを込められたほうが、頼まれた側としては、だいぶ気分よく作業にとりかかれます。

　私たちの脳は、感情が安定しているほうが集中力を高められるので、いい頼み方をするほうが双方にとってメリットが大きいのです。

　念のためですが、頼み方を丁寧にすれば、相手にいつ何を頼んでも失礼ではない、ということではありません。

　特に、社内の繁忙期や昼休みが始まる直前、終業時間間際、病み上がりの人へのお願いなどに関しては、タイミングをよくよく考えた上で行いたいですよね。

　どんな状況であっても、「1分でできる簡単な作業だから、パパッとやっておいて」などと、昼休みや退社時間の1分前に人に頼むようなことは避けましょう。

　友人同士であっても、「〇〇さんの連絡先、教えて」「この間、一緒に行った焼肉屋さんの営業時間教えて？」などと用件だけのメッセージを時間に関係なく唐突に送る人は、想像力が欠けているといわざるをえません。

「お忙しいところ申し訳ないのですが」「お疲れのところ、ごめんね」「お手数をおかけしてしまうのだけど……」などと相手に敬意を払う一言を加えるだけで、「図々しい人」から、「丁寧な頼み方ができる人」になれるのです。

また、誰かがあなたの頼みごとを聞いてくれた後も、メールやSNSを活用して、「とても助かりました」「ありがとうございました」といった感謝のフォローは必要です。

その後、本人に会ったときは、「先日は中川さんの連絡先をすぐに教えてくれて、本当にありがとうございました！」などとお礼を直接伝えれば、義理堅く礼節を重んじる人として、相手はきっと「何かあったら、またいつでもどうぞ！」という気持ちになるはずです。

ちなみに、父に「『頼み方に本性が出る』という項目で、お父さんのこと書かせてもらったよ」と電話で話したところ、「はっはっは。まさにその通りだね！」と明るく笑っていました。

現在は、英語の得意な親戚に翻訳を丁重にお願いし、快く引き受けてもらっているそうで、心ばかりのお礼をさせてもらったそうです。

心の狭い私が翻訳を断ったがために、父のことを手伝ってくれることになった親戚には申し訳ないやらありがたいやらですが、父は頼み方には気をつけていると話していたので、少しホッとしています。

果たして、この先、父の英語力は磨かれていくのでしょうか!?

「暇だから」と誘うのはNG

あなたの周りに「暇だからお茶しようよ」「暇だから今度、一緒に美味しいものを食べに行こうよ」「私、本当にいつも暇だから連絡してよ」などと誘ってくる人はいませんか？

言っている本人からすれば、それほど深い意味はないのかもしれませんが、誘っている最大の理由が「暇だから」というのは、誘われた側としては気持ちのいいものではありません。

そもそも、「暇」という言葉は、「暇すぎて、家中をピカピカに掃除した」などと自分に対して使うのならまだしも、相手を誘うときに使うのは失礼です。

「私は暇だから」という言葉には、「あなたが時間を好きに決めていいからね」と、自分よりも忙しい相手に予定を委ね、自分には気を遣わなくていいから、という思いが込められているのかもしれません。

しかし一方では、自分が持て余している暇な時間を、相手を使って潰したい、相手にも暇な時間があるはずだという勝手な思い込みも感じられます。

実際に、「珠央さん、暇だから声かけてよ」などという人がごくたまにいますが、彼女たちは決して失礼な態度をとるような人たちではありません。でも、だからこそ、気をつけるべきポイントになるのです。

相手がそこまで熱心に誘っているわけではないことはわかっているのですが、「暇なとき」が「誘いどきだ」と思って声をかけられているとしたら、最初から遠慮したいと私は考えています。

相手を誘いたいときは、堂々と「○○さんとじっくりお話がしたいので、ぜひ来月あたり、ランチをご一緒させてもらえませんか？」といったほうが、誘われた側も嬉しいはずです。

相手の「忙しさ」をイメージしよう

「暇だったら私と〜」という誘い方はもちろんのこと、「暇」という言葉自体、口に出さないようにするだけで、発する言葉に品が生まれてくるように感じます。

あるとき、すでにお付き合いのある取引先から急な仕事のメールが来ました。

そこには、「大阪出張後でお忙しいところ大変恐縮なのですが、至急ご確認していただきたいことがございます」といった内容が書かれていました。

「お忙しいところ」という相手を気遣う言葉を添えてくださった上、わかりうる事情を察して、「出張から帰ってきたばかりで、きっと今、業務が立て込んでいるだろうな」と想像してくれたことがわかり、その気遣いに感謝の言葉を入れて返信をしました。

前に会話したときの内容やＳＮＳから、ある程度、相手の行動やスケジュールがわかります。

私自身、そうした情報を会話やメールに生かせる人でありたいと思っています。

ただし、「今、ちょうどチェックアウトしたところでしょうか」「新幹線から富士山が見える頃でしょうか」などと、分刻みで相手の状況にふれればいいというものではありません。

「監視している」かのような内容までは不要ですが、「そういえば先々週、風邪を引いたといっていたな」と思い出したならば、「○○さん、先々週の風邪が治っていることを願いつつ、体調が万全でないかもしれない中、恐縮ですが1件、来週の打ち合わせの件で連絡をさせていただきました」などという気配りも忘れないようにしましょう。

仕事をしている人たちだけが忙しいわけではなく、結局、誰もが忙しいのです。

どんなに自分の時間に余裕があったとしても、または相手以上にあなたのほうが忙しい立場だったとしても、相手の時間を尊重する言葉は積極的に伝えていくべきです。

「お忙しいのに、こんなにリサーチしてくれて本当にありがとう！」「お時間がない中で、いろいろと心配してくれて感謝しています」など。

立場を超えて、常に相手の時間を敬う言動が習慣になっている人は、きっと相手もあなたの時間を敬い、大切にしてもらえるのですから。

スタバでは5秒以内に注文せよ

あなたは、スターバックスコーヒー（以下、スタバ）などセルフサービスのカフェで、自分の注文時間を計ったことはありますか？

プレゼンテーションのコンサルタントとして私がおすすめしたいのは、あなたの順番が来てレジの前に立ってから、注文が終わるまでの時間を実際に計ってみることです。

例えば、あなたが上司やお客様と2人でスタバに入ったとします。

オフィス以外の場所であっても、すべての場面があなたにとっての「プレゼンテーションの場」といっても過言ではありません。

なぜ時間を計るのかといえば、必要なことをわかりやすく丁寧に伝える感覚は、スタバで注文する時間を見れば、だいたいわかるからです。

「お次のお客様どうぞ」と店員にいわれてレジの前に立ってから、5秒以内に相手と自分のドリンクを注文していただきたいのです。

5秒というと、一瞬だと思われるかもしれませんが、実際に計ってみると、意外に余裕のある時間だとおわかりかと思います。

例えば、「ソイラテのショートサイズと、カプチーノのトールサイズを一つずつお願いします」というオーダーは4〜5秒ほどです。

オーダーにかかる時間というのは、自分だけの時間ではありません。あなたと一緒にいる相手をはじめ、並んでいる人たちの時間にも影響を与えているのです。

あなたが5秒以内に素早く注文することで（早口で粗雑な所作にならないようご注意を）、あなたと相手は美味しいドリンクをいち早く手にし、大切な話をさっそくスタートできるのです。

あれこれとドリンクを選ぶ時間も楽しいですが、決断や伝えることに時間意識を持てるようになると、決断力と取捨選択力が鍛えられます。

5秒というのはあくまで意識してほしい目安となる時間であり、5秒をすぎたから失格などという意味ではありません。

「5秒で決める」という意識によって、その後はゆっくり落ち着いて話すことができるのです。つまり、重要なことにより時間を使うことができるのです。

さあ、まずはスタバで5秒の壁にチャレンジしてみませんか！

「プラス15秒ルール」で時間感覚を鍛える

カジュアルなフレンチレストランへランチに出かけたときのことです。

私のテーブルの隣では20代と思しき3人のおしゃれな女性たちが、メニューを見ているところでした。

「前菜はスープかサラダか……どうしよう」「ハンバーグも食べたいし、鶏肉の煮込みも美味しそうだよね」などと明るい声が聞こえてきました。

皆、笑顔で楽しそうな雰囲気でしたが、メニューとにらめっこをし始めて30秒がすぎたあたりから静まりだして、一人だけがメインを決められずにいました。

すでにメニューが決まっていた他の2人は、必死に「迷っちゃうよね」などと彼女に合わせていましたが、そのうち、そんな反応も次第に薄れていき、2人はスマートフォンを触り始め、仕方なくお水を飲んでいるようでした。

結局、メインを決められない女性が、「あっ、そのスマホケース可愛いね！　どこの？」などという質問をしたあげく、他の2人が注文を決めてから2分以上も経過してからやっと「よし決まった！」と自信満々に声を上げました。

そのとき、待たせている友人たちへの謝罪もなく、自ら店員を呼ぼうといった行動もありませんでした。

「友達だから」といってしまえば、それまでなのですが、一緒にいて心地よく感じられる友達だからこそ、相手をいたずらに待たせず、甘えすぎないことが長く付き合う秘訣ではないでしょうか。

そこで、注文が決まるまでに時間がかかる人は、「相手が注文を決めてから15秒以内には自分も決める」などと具体的な時間を設定しておくのも得策です。

滅多に行けないような特別なレストランでメニューの選択肢が多かったり、メニューに知らない食材や単語が書かれているような場合を除き、普段から気軽に利用するカフェや定食屋、ファミリーレストランなどでは、相手が決めてから遅くとも「15秒以内に決める」というルールを実践してみるのです。

15秒とは私たちに馴染みのあるテレビCMと同じ長さですので、ぜひTVで時間の長さを意識してご覧になってみてください。

また、私は自分の注文が決まっても相手が注文に迷っている場合、「私は決まったよ」とは口にせず、静かにメニューを閉じたり、お水を飲んだりします。

相手を急かさないようにしながらも、頃合いを見て「そろそろ店員さんを呼んでみる？」と声をかけます。

自分が相手を待たせないようにする一方で、一生懸命メニューを選んでいる相手の邪魔はしたくありません。

肝心なのは、相手の時間を奪わないという意識なのだと考えています。

45分しかない貴重なランチタイムに「とんかつかカツ丼か、ミックスフライセットか……」と延々と迷い続ける相手に、空腹を抱えて今か今かと待っている人の中には、「この人とランチを一緒するのはやめておこう」と小さな誓いを立てる人がいるかもしれません。

注文を素早くできる人というのは、単に「せっかちな人」ではなく、「時間の価値がわかる人」といえるのではないでしょうか。

当然、そんな小さなことは気にならないという人もいるでしょうが、2分間もメニューに迷っているようでは、人を待たせるという時間感覚に鈍感であるといえるので、「話も長そう」と勝手に想像してしまいます。

注文をせずに会話を続けていると、頭の片隅で「店員を呼ばなくては」と常に考えることになるので、会話に集中しづらくなります。実際に、そういう経験をした方も多いのではないでしょうか。

スーパーでレジ待ちをしていて、前のお客さんが会計の後、レシートやおつりのお札をきれいに整えてお財布の中に入れようとその場に立ち尽くし（列から離れたところでもできることなのに）、そのためにあなたの会計がなかなかしてもらえないといった経験はありませんか？

人を待たせても平然としているようでは、「なぜ自分のことしか見えないのだろう？」「自分のことしか考えられないなんて失礼な人だな」と思われても仕方がありません。

仕事でもプライベートでも、人付き合いをよりよくしたいと思うのであれば、周りの状況を見ながら、常に時間を意識することをおすすめします。

1秒に対する感覚を持って会話をすることができれば、さらに決断力がアップし、あらゆる問題の解決に対して、これまで以上に自信を持てるはずです。

時間を秒刻みで意識することは、小説家であり政治家であり科学者でもあったドイツのゲーテが遺した「うまく使えば、時間はいつも十分にある」という名言を実現する上で非常に効果的だと確信しています。

ただし、決断が早くなっても、伝え方の丁寧さと優しさは、お忘れなく！

「やっぱり」の多用は「押しつけがましい」

何を隠そう、私は昭和の歌謡曲が大好きです。

家事をしながら口ずさむのは、小学生の頃に好きだったアイドルの歌や演歌をはじめ、懐メロばかりです。

「飲ませて下さい、もう少し……」など演歌の名曲「氷雨」を歌いながらお風呂掃除をしていると、子どもたちが「何の歌？」と不思議そうに聞いてくるのが常です。

私が幼少時の1980年代から90年代はじめの曲は特に思い出深く、切ない義理人情の世界を描いたり、情熱的で力がみなぎるような歌詞にぐっときます。懐かしいメロディ、そして当時の歌手たちのパワフルな声量や透明感溢れる歌声が、しっくりと体に染み入る心地よさがあります。

ある日の夜、昔のヒットソングの番組が放送されていたときのことです。

十数年前、かつて人気歌手だった男性がゲストとして出演していました。

すると彼が、ある言葉を頻繁に使っていることに気がつきました。

それが、「やっぱり」という言葉です。

私自身、コンサルタントとしてアドバイスしていることなのですが、「やっぱり」「やはり」という言葉を連発していると、「自分のこだわりが強い人」「頑固な人」「勢いで話す人」といった印象を強めてしまいます。

例えば「最近の若い歌手のパフォーマンスをご覧になって、どのように感じられますか?」と司会者に聞かれて、「なんかやっぱり、俺たちとは違うよね。あの時代は、死にものぐるいで誰もが熱かったの。やっぱりさあ、あの当時の歌手っていうのは体当たりなわけ……。それで、やっぱり俺たちの時代ってさあ……」といった具合に答えたとします。

この場合、話し始めて15秒で3回も「やっぱり」を発しています。

音読してみるとわかるのですが、5秒に1回「やっぱり」と聞くと、くどさを感じませんか？

話し方は人それぞれですから、どのように発言するかも自由です。

ただ、「やっぱり」「やはり」などを連発していると、最も伝えたいことは何なのかがぼやけてしまい、内容よりも、その人のこだわりばかりが印象として残りがちです。

これは年配者に限ってのことではなく、年代にかかわらず、自分を過信している人、少々視野が狭そうな人、感情的になりやすい人などが、「やっぱり」「やっぱ」などを連発する傾向にあります。

「やっぱり」という言葉を使うとき、私たちは確信に満ちた「そんなの当然」「私にとっては当たり前」「相手をどうしても説得したい」といった気持ちがあることは否めません。

ですから、最も強調したいことだけに絞って、「やっぱり、この問題が一番大切なんです！」と話すほうが、わかりやすく伝える場合には効果的です。

〈「やっぱり」を多用している人の事例〉

①「やっぱり、既存のプランでいったほうが海外からのお客様にも、やっぱ喜んでもらえると思います。なんかやっぱり、新しいプランはなかなか難しいですよね」
②「やっぱり、今はすべてがネットで解決できる時代なのですが、やっぱネットじゃなくてリアルで繋がっている時間も、僕たちには必要だと思っているんですよね」

「やっぱり」の反復使用は、やはり耳障りに聞こえませんか？

私が使用した「やはり」も不要でしたね。

あなたの周りに「やっぱり」という言葉を何度も使う人がいたら、ぜひ一度、観察してみてください。

事例にも出てきましたが、「やっぱり」を使う人は同時に「なんか」を一緒に使っていることもあります。

「なんかやっぱり、あんまり気が乗らない気がする」といった曖昧な話し方をする人や、考えがまとまらないうちに話し始めるときに、つい口にしてしまう言葉でもあります。

「やっぱり」と同様、「なんか」「けっこう」「すごい」などの言葉を頻繁に使いすぎるのも注意が必要です。

「やっぱり」は、連発することで、「頑固さ」「くどさ」「しつこさ」「押しつけがましさ」を感じさせてしまう言葉であるという視点を持ってみましょう。

そして、「ここぞ」というときだけ「やっぱり」を使うことで、あなたが本当に伝えたいこと、わかってほしいことが、真っ直ぐ相手に届いていくのです！

「みんなやってますね」は極めて失礼！

「最近、中国語を習い始めました」と新たな決意に目を輝かせながら話す人に対して、「なんか今、中国語って、みんなやっていますよね」などという人はいませんか？

「重い腰を上げてランニングを始めました」というお客様に対して、「今は街中で走っている人を見かけますよね」と満面の笑みで返す店員など。

新しいことを始めたとか、初めての場所に旅行した、親戚が結婚したなど日頃から耳にする話題かもしれませんが、話す人それぞれに、そこに至るまでのドラマや葛藤、喜びがあっての決断のはずです。

そういった背景をすべて無視し、十把《じっぱ》一絡《ひとから》げにして「みんなやってる」といった反応は、実はとても失礼です。

だからといって、「なんて素晴らしい！」などとオーバーに反応することをすすめているわけではありません。

「みんなもやっている」ということは、「あなたのしていることは、ごく一般的です」「あなたは決して特別ではない」ともとれるようなメッセージなので、使う必要のない言葉だということがいいたいのです。

話をしている人は、相手に「応援してほしい」「褒めてほしい」「自分の努力や信念をわかってほしい」「少しは驚いてほしい」などと思うところが少なからずあるはずです。

使う人に悪気がないのはわかりますが、「みんなやっている」という言葉には、その人が信じていたものや、やる気を失わせるほどの力があるのだと知るだけで、避けることができます。

反応する言葉を選ぶことで、あなたは常に「○○さんとのお話は本当に楽しい」「やる気が出る」などと思われる存在になれるのです。

話しかけるタイミングが最悪な人

話しかけるタイミングというのは、言葉選びと同じくらい慎重さが必要だと痛感しています。

敬語や正しい日本語に気を遣う人が増えている一方で、話しかけるタイミングというのは、まだまだ改善する余地が大いにあるのではないかと思うのです。

話す内容と違って、話すタイミングというのは準備することができません。

「話しかけるタイミングぐらいで……」とオーバーに聞こえるかもしれませんが、実は話しかけるタイミングが悪くて相手を不快にしてしまうと、その後、いくら話の内容がよくても、「タイミングが悪い人」「話に割り込んできた人」などというマイナスのイメージが残ることもあるのです。

「初頭効果」といって、相手の第一印象は記憶に残りやすく、後の評価に大きな影響を与えるといった心理効果があります。

会話においては、第一声となる三つのことが、主に最初の印象として大きく影響すると考えられます。

①言葉↓礼儀正しいかどうか
②声↓落ち着きがあるかどうか
③話しかけるタイミング↓相手をよく見ているかどうか

おそらく読者のあなたは、①と②への意識は多かれ少なかれ、すでに持たれているのではないでしょうか。

これからは③のタイミングをより意識すると、第一印象が劇的によくなります。

さて少し前に、ある女性向けのビジネスイベントのプログラムの一つとして3名の日本人女性によるパネルディスカッションの映像を見たときのことです。

いずれの女性も50〜60代で美容研究家と経営者という肩書で活躍され、落ち着いた雰囲気を持ち、パワフルかつハキハキと自らの体験談を語っていました。

ある経営者の女性は伝統工芸を用いた自社の商品を、現代の感覚に合わせてどのようにマーケティングしていったかという成功事例を話しました。

そのうちAさんが、「○○さん（女性経営者）のお考えは当時、とても革新的だったんですね」と合いの手を入れたのですが、Aさんが最後まで話し切っていないタイミングで、もう一人の聞き手のBさんがすかさず割り込み、「つまり他の業者の方にとっては、嫌われるようなことをしていたんですね」とかぶせたのです。

Bさんは、Aさんが「……革新的だったんですね」と言い切ってからでも十分、話し始めることはできたはずです。

その後も、経営者の女性が話を続けているのを、AさんとBさんが聞きながら反応するのですが、Bさんだけは毎回、話している人が最後まで言い切っていないのに、相手の声にかぶせるようにコメントをしたり、人のコメントには一切頷きもせず、自分のことばかり必死に話すのです。

画面に映るBさんを見ていると、普段から人の話をあまり聞かない頑固な人なんだろう、というふうにしか思えなくなっていきました。

頑固なことは個性や長所として魅力になりうるのかもしれませんが、人前で話すときには、むしろ頑固さを出す必要はなく、相手が話し終わった後に自分が話すほうが、評価を下げずにすみます。

ディスカッションへの参加意識が高く、一所懸命だったのかもしれませんが、残念ながら他の2人に対する気遣いや尊敬が感じられないようなタイミングでの割り込みは、視聴者にいい印象を与えることはできませんでした。

一方で話を遮られているAさんのほうは顔色一つ変えずに、にこやかで上品に前向きな応対を続けていらっしゃり、とても勉強になりました。

そしてもう一つ、話に入り込むタイミングと同様に、とても気になることがありました。それは、子どもに話しかけるときの店員の事例です。

子どもたちを連れてよく行くカジュアルなレストランでは、店員の手際がよく、子どもたちの食事を運んできたときには、「○○ちゃん、お待たせしました。たくさん食べてね！」と笑顔でいった後にテーブルから去ってくれるので、子どもたちは食べることに集中できます。

ところが、そんなタイミングよくサービスしてくれる人とは逆の店員に出会ったことがありました。

前に家族で海外旅行した際に出会った、現地のレストランで働いていた日本人女性は、私が子どもたちに話しかけていると、「あっ、日本人？」と聞いてきました。

この時点で、「日本人の方ですか？」ではなく、「日本人？」という聞き方に違和感を持ちつつも、穏やかに返事をしました。

その後、注文した子どものパスタを運んでくれて、お皿をテーブルに置くと、すぐさま「ねえ、パスタが好きなの？　キャラクターはどんなのが好きなの？」などと子どもたちに矢継ぎ早に質問をし始めたのです。

子どもたちが答えて話し終わる前に、「お姉さんも日本に住んでいたんだよ」と、現在に至るまでの職歴などを事細かに1分以上かけて話し始めました。

当然、私は彼女が話している途中で、「さあ、熱いうちに食べようね」と子どもたちを促し、私もナイフとフォークを持ったのですが、自分のことを話したくて止まらない彼女は、お構いなしでした。

料理の近くで話されるときの飛沫の心配に加え、私たちに興味があるわけでもなく、本人がしたい話を一方的に聞かされる時間というのは、数分が何倍にも長く感じられました。

こういうときの話しかけてよいタイミングとしては、食事が済んで食器を片づけ、テーブルでチェックを待っているときなどがベストです。

彼女は海外で暮らしているので、私たちが日本人とわかって安心感や親近感が湧き、思わず話をしたかったのかもしれません。そのような気持ちはわからなくはありませんが、食事をしている相手に対する最低限のマナーはきちんと守ってほしいと感じました。

話しかけるタイミングに出てしまう頑固さや非常識さは、第一印象にとどまらず、その後の関係にも響きます。

自分が話すべきタイミングを見定め、ときに待つことも、会話には欠かせないエッセンスなのです。

質問が多いと評価が下がる

某企業で、「リーダー研修」を受講してくださった40代女性Yさんが、受講後に私に話をしてくれました。

「2年目の派遣社員さんで私と同年代の女性（Sさん）がいます。業務内容のことで頻繁に質問してくるのですが、私が説明すると、『それは教えてもらっていませんでした』『なんで私のときに限って、こんな複雑なケースになるんだろう』などといいます。彼女には変なプライドがあって、『ありがとうございます』ということもありません。マニュアルを確認すればわかるような質問内容ばかりですが、調べるのが面倒で私に聞いてくるので、いい加減、自分で調べたらといいたいところです。余計な波風を立てずに伝える方法があったら教えていただけますか？」とのことでした。

Yさんは真面目で人当たりがよい上、冷静沈着。仕事は仕事と割り切れる考えをお持ちの女性でした。Yさんは正社員という立場なので、教育係としての責任も生じます。

同じ派遣社員同士であれば、同僚として「私も自信がないから、課長に聞いてみたら？」などといって他の人に頼ることもできますが、Yさんの場合はそうもいきません。もし私がYさんの立場でしたら、マニュアルを活用しながら口頭で質問に対して明確に答えます。

「ご存じかと思いますが、○○さんのご質問は、マニュアルのこのページに記載があります（マニュアルを一緒に見ながら）。

私の説明よりも数倍わかりやすく解説してありますので、ぜひもっとこちらのマニュアルを活用してみてください！　そのほうが○○さんも、何度も席を立たずに済みますし、私以上に答えが的確ですので、次回からはまずはマニュアルで確認をお願いします！　もし、初めての事例の場合でも、『事例集』というページが最終章にありますので、とりあえずマニュアルを開いてみていただけると助かります。私は課長や周囲の人に何度も質問するのが申し訳なくて、『事例集』を未だに活用しているんですよ」という対処方法をお伝えしました。

この例文の中の「私は課長や周囲の人に何度も～」というくだりには、やや抵抗がある人もいるかもしれません。

ただ、「私も」ではなく「私は」にすることで、Sさんと同じことをしているという意味にはなりません。

むしろ、「私の場合は」というふうに、Yさん自身が他でもない自分の経験として話をしているわけなので、堂々と伝えても失礼ではない内容です。

ちなみに後日、アドバイスをさせてもらったYさんからメールを頂きました。

「吉原先生に教えてもらった伝え方を早速、実践してみました。すると、今週はまだ一つも質問をされていません。このまま、マニュアルのことをアピールし続けてみます。本当にありがとうございました！」という内容でしたので、ひとまず安心しました。

すべての人に効き目があるとは言えないかもしれませんが、Yさんのように行動力がある人にしか変化は訪れないものだと感心させられました。

自分で調べればすぐにわかることなのに、なんでも質問してくる人というのは、自分の頭を使おうとせず、人に迷惑をかけながら情報を得ようとしているように見えてしまいます。

本人からすれば、わからないことを聞くのは当然だとか、簡単に情報が入ってラッキーと思っているかもしれませんが、何度も質問されるほうからすれば「怠惰な人」「面倒な人」「関わりたくない人」などという評価になりやすいので要注意です。

伝統工芸や技術力が必要な職人の世界では、「背中を見て覚えろ」といった風潮があり、師匠や先輩に質問することすら、はばかられた時代もありました。

それはそれで極端かもしれませんが、質問をするということは、相手の集中力や時間を奪うだけでなく、相手が持っている情報や体験といった「知」を一方的に分け与えてもらうことになるという事実を理解できれば、質問に対する意識が変わるのではないでしょうか。

仕事といっても、質問するたびに、相手に借りを作っていることにもなります。

そうした借りを増やす一方で、お礼すらいえなければ、信頼関係がぎくしゃくし、「なんでも聞いてくる厄介者」のように思われてしまっても仕方がありません。

もし、入社したばかりの職場でトイレの手洗い用ソープが切れていたら、「どこにありますか？」とすぐに誰かに聞く前に、トイレや洗面台のあらゆる棚を一度は開いて自分で探せるといいですよね。

どんなに小さなことでも、まずは自分で考えて動いたのちに、「新しいボトルに替えておきました！」といえる人のほうが、自発的な行動を高く評価され、一目置かれるようになるのです！

質問は長いほど非常識

以前、学校運営をされている女性の講演を聴講したときのことです。

その講演者は地方から都内の会場に来ていたため、「申し訳ないのですが、講演後、学校に戻る新幹線の時間が迫っておりまして、質疑応答は３名様に限らせていただきます」と講演の最後におっしゃいました。

そんな中、一人目の聴講者の方の質問が終わり、２人目として挙手した女性が指名されました。

１００名を超える聴講者の中で、堂々と挙手をして質問したいほど熱心な方であることは間違いありません。

質問者はどのような質問をし、講演者はどのようにお答えになるのだろう……内容はもちろんですが、プレゼンテーションという側面からも興味津々でした。

いよいよ、2人目の質問者の女性がマイクで話し始めました。

すると、質問のほとんどはご自身の経歴紹介（講演者と同様に留学経験があるとか、バイリンガルであるなど）といった内容で、質問自体はそれらがなくても理解できるほどシンプルなものだったのです。

トータルすると、質問者の女性は1分半ほど話をしていました。

結局、講演者は2人目の方の質問に手短に答えた後、「あっ、申し訳ございません。お時間となってしまいましたので、質疑応答は終了させていただきます」といって、3人目の質問がなくなってしまいました。

国際感覚があって親しみやすく、話の内容も面白い講演者だっただけに、私だけでなく他の聴講者の方も、きっと残念に感じられたことでしょう。

講演会での質問では「質問は手短にして、講演者にたくさん話をしてもらおう」「自分の他にも質問したい人がいるはずだ」といった配慮を常に持っていたいと改めて感じました。

私も講演者として登壇させていただくことがありますが、私の場合は講演テーマが「プレゼンテーション」「伝え方」「コミュニケーション」といった内容が影響しているのか、質問してくださる方が1分以上も延々と話し続けるようなことはありません。

質問する側の意識も大切ですが、質問に答える側もまた「時間が限られていますので、恐れ入りますが、ご質問はできるだけ短くまとめていただけると助かります。皆様から一つでも多くのご質問を伺えたほうが嬉しいので、ぜひご協力をお願いします」などと予め伝えておくのも効果覿面《てきめん》です。

ちなみに、「質問は20秒以内」を目安としておくことをおすすめします。

「20秒」などというと慌ててしまうかもしれませんが、次のような内容を落ち着いて話しても時間内におさまりますので、ぜひ一度音読してみてください。

〈20秒質問の事例〉

①本日は大変役に立つお話をありがとうございました。

私は営業職10年目の鈴木と申します。先生がお客様との会話で一番大事にされていることを教えていただけますか？

②本日は直接○○先生のお話を伺うことができまして感動しております。渡辺と申しますが、４名ほどでのリモート会議を成功させる秘訣を教えていただきたいです。よろしくお願いします。

③私は、静岡で小学６年生の担任をしている田中と申します。私のクラスは、人前で発表するのが好きな子どもが多いのですが、もっと相手の心に響くような伝え方を教えてあげたいと考えています。そんな子どもにもできる伝え方のポイントを、ぜひ教えてください。

大事なことなので繰り返しますが、講演や研修、地域や学校の保護者の集まりなどで、質問の時間であるにもかかわらず、自分のことを延々と話すのは避けたほうが無難です。仮に質問をする上で、回答者に知っておいてもらいたいことがあれば、「質問させていただくにあたり、現状を簡単に説明させていただきます」などと断ってから話すことで、他に質問したいと思っている人たちにも理解してもらうことができます。

質問者の話す内容にも学びがありますから、絶対に20秒以内にすべきとはいいませんが、「あなたの話を聞きたくて仕事を休んでまで講演に来たわけではない」などと思う人もいるかもしれないという想像力が必要です。

特に有料の講演やセミナーには、誰もが高い費用対効果を得たいという熱い思いで参加しています。講師に質問もしたいですし、意見交換もしたいですし、その場での刺激的な出会いにも期待していることでしょう。

だからこそ、長々とした質問や、自分の経歴紹介を延々と話すことはご法度なのです(自分のことは、氏名、職業だけで十分です)。

中には「私自身も経営者として30年のキャリアがあり、某上場会社との取引もあり、従業員数は……」などと、ご自身の会社設立から乗り越えてきた困難や収めてきた成功の数々を1分以上かけて話す経営者の男性もいました。

そういう方を見ていると、客観的な視点を持って話すことに不慣れで、せっかく素晴らしいことを話していても、自慢にしか聞こえず、損をしていると感じます。

たとえ、多くの経験を積んできたとしても、それが自分自身の講演会でない限りは、控えめに振る舞って質問する人のほうが知的に見えます。

「能ある鷹《たか》は爪を隠す」といいますが、まさに知的な人ほど人前で多くを語らないという共通点があるように思います。

ちなみに私が質問をするときは常に「自分だけが知りたい情報か」、あるいは「自分以外にも、この質問の答えを知りたいと思う人がいるか」という視点を持つようにしています。

前者の場合は個別に質問ができる状況であればそうすべきですし、できないようでしたら、なるべく時間をとらせないように工夫します。

質問を短く簡潔にするだけで、周囲の人への配慮はあなたをより知的に見せて、「後で、あの人と話してみたい」と周囲の人から声をかけてもらえるチャンスへと繋がることもあるのです！

「強調」ではなく「協調」せよ

「私、すっごいポジティブな人間なんです！」「私、結婚が向いていない人なので……」「私、寂しがりやな人間なんです」

あなたもこうした「○○な人間」、あるいは「○○な人」とこちらが聞いてもいないのに、わざわざ宣言する人に出会ったことはありませんか？

こういう発言を自信満々にしてくる人たちは、「自分をわかってほしい」という承認欲求が強い傾向にあるという印象を受けます。

明るい性格であるともいえますし、腹が立つほど失礼なことではないとはいえ、「それはなぜですか？」とこちらが質問をしないと成り立たないような言い方は、程々にしてほしいものです。

自分の好みや性格について手っとり早く宣言し、「私のペースに合わせてね」と強要するかのような魂胆すら見え隠れし、自分を知ってほしい、注目してほしいとばかりに自分のことを押しつける強引さも潜んでいます。

そもそも「人間」や「人」という言葉を使って大げさな物言いをしたり、意味ありげに何かを匂わす傾向がある人は、普段から小さいことでもややこしくしてしまいそうな気配を感じます。

「私はどちらかというとポジティブなほうなんです」「私は、結婚という形にはあまりこだわりがないんです」「一人で過ごすよりも、友人と過ごすほうが好きです」などとマイルドに表現し、「○○さんはどうですか？」と相手に話のバトンを渡せればよいのですが、「○○な人間なんです」で止まってしまう人のほうが圧倒的に多い気がします。

私自身、コミュニケーションのコンサルタントという立場で人と会うときには、特に相手の話したことに対して、全身全霊を込めるくらいに集中しています。

プライベートで友人や子どもたちの学校の保護者と歓談するときには、少し気を緩めていますが、決して手を抜いているわけではありません。

仕事のときと大きく異なるのは、「私が相手の真意を引き出す立場」にあるかどうかです。

プライベートでは、相手の醸し出す空気感に合わせ、「和を以て貴《とうと》しとなす」を信条に、ユーモアを交えながら「強調」ではなく「協調」して寄り添うと、相手に心地よく感じてもらえると思って接しています。

私自身は人様に、「私、○○な人間なんです」などということはまず口にしませんが、それは「私の勝手な宣言を誰が知りたいだろう？」と思うからです。

自分がどのような人間かは、会話を通して相手が自由に感じてくれればよいことなのです。

「遅くなりました」は謝罪ではない

気配りができない人、自分のミスを早く忘れてほしいと願う人に共通する言い回しがあります。

それは、約束の時間に遅れたのに、到着したときにお詫びをせず、「遅くなりました！」としかいわないことです。

「遅くなりました！」は謝罪ではなく、単に状況報告をしているにすぎません。申し訳ないという気持ちはないに等しく、謝罪の気持ちは一切感じられないのです。

遅れるというミスは、遅れた当事者が軽く流してしまうと、その後、不誠実な印象がついてまわることになります。

誰にでも遅れるというミスは起こりえますが、自分が相手をお誘いしているときには、特に遅れないようにする必要があると私は考えています。

遅れたことに対して相手が「気にしないでください」などというと、その言葉を鵜呑みにし、調子に乗ってすぐに別の話題にすり替える人もいます。

遅れた側からすれば、「ああ、よかった。遅刻のことを有耶無耶《うやむや》にできた」と安心しているのかもしれませんが、「気にしないでください」という言葉とは裏腹に、心の中では「さてさて、相手はどのように反応するだろう……。ここでしっかりと謝ってくれる人だったら水に流そう」などと最後のチャンスを与えようとしている可能性があるのです。

以前、様々な業種の方と一緒に行うプロジェクトがあり、6名で待ち合わせをしたときのことです。

待ち合わせの当日、私も含めて5名が5〜10分前には到着していました。

すると、10分以上遅れてやってきた人が、私たちを見てすぐ、「やっちゃいました！　1本先の路地を曲がってしまって……」とだけいい、謝罪の言葉は一切ありませんでした。
その人の「やっちゃいました！」という一言には皆、無反応で、「それでは早速、始めましょうか」と声をかけてくれた人がいて、雰囲気はもとに戻りましたが、私は頭の中で「やっちゃいました、なのか……」ととても残念な気分になったことを覚えています。

繰り返しますが、どんなに早めに出発したとしても、「まさか」と思うような出来事があって、遅刻することは誰にでもあります。

また、早々に話題を換えて、自分のミスを周囲の人が早く忘れてほしいなという思いがあるのも当然です。

ですが、お詫びはお詫びで、最初にしっかりと伝えて相手の許しを得る過程が必要なのです。「不誠実な人」という印象が相手の中にずっと残ってもいいと思う人は別ですが……。

想定外の出来事が起こり、相手に迷惑をかけてしまった――。そんなとき、私たちは相手にまず、何を伝えるべきなのか。

「相手に迷惑をかけてしまった」という現実をしっかり受け止め、「申し訳ございませんでした」と謝罪の言葉をきちんと伝えられる人だけが、様々な場面でチャンスを手にすることができると断言します。

自分のミスを曖昧にしてごまかすよりも、真摯にお詫びをすることで、ミスをしなかったとき以上に、深い信頼へと繋げられることは多いのですから。

「偉いですね」は要注意

失礼な人たちを観察していると、次から次へとネガティブなことをいうという共通点があるように思います。

例えば、人を見下したようなものの言い方を頻繁にする人は、「親戚が○○大学に通っているんです」と誰かが話した途端に、「○○大学って理事長のパワハラで揉めている学校でしょう?」「最近の大学生は就職難で、卒業しても結構な割合の人がニートになるんでしょう?」などと耳を疑うような反応を平然としてしまうのです。

そして、それは話している相手への敬意が一切ないことを意味しています。

この本を読んでいるあなたが、そのようなことを口にすることはないと思いますが、このような失礼なことをいう人にならないために気をつけることが、たった一つだけあります。

それは、相手の発言に対して、まずは「そうだったんですか」「そうなんですね」と返すことです。

相手の発言を、自分の経験値や価値観というフィルターを通す前に、表情を穏やかにしながら、抑揚をつけて「そうでしたか〜」といったん、フラットで丁寧に受け止めるのです。

相手の発言内容にあなたなりに思うことがあったとしても、まずは「あなたにとって大切なことを、私に話してくれてありがとうございます」という気持ちで受け止めればよいのです。

ちなみに「大学に合格しました」「実は、以前から希望していた出版関連の仕事に転職しました」などというおめでたい内容であれば、すぐさま「うわっ、それはおめでとうございます！」という第一声が必要です。

また、「実は身内で不幸がありました」「リストラされて、今は夫が無職なんです」などの内容であれば、「そうだったのですかぁ……」と声のトーンを低くし、語尾を２秒ほど延ばしてみましょう。

そうすることで、気を落としている相手に対して、かける言葉が簡単には見つからないほど、あなたが話を真剣に受け止めている様子が伝わるからです。

余計なことというのは、冒頭のように「理事長のパワハラで揉めている学校でしょう？」などといった、あからさまに常識を疑うような言い方だけに止まりません。

以前、日本経済新聞の土曜版に掲載される読書面の「新書ランキング」に、私の書いた本がトップ10入りしたときのことです。

こちらのランキングは、著者にとって特別で途轍もなく光栄なことです。

そこでＳＮＳを通じてみなさんに感謝の気持ちを伝えたところ、ある経営者の知人から「一緒に頑張ろう！」というメッセージが一言だけ届きました。

それを目にした瞬間、がっかりして大きな違和感を覚えざるを得ませんでした。

私が逆の立場でしたら、相手の喜ばしい出来事に対して、「それはすごいね！　おめでとう。いつも人一倍、頑張っているものね」という言葉が先に出てくると思います。「一緒に」という言葉が思わず出てしまうのは、「あなただけでなく自分も頑張っている」ということをアピールしたいだけなのです。

相手に「それはすごい！」「おめでとう」という気持ちを本当に伝えたいのであれば、「おめでとう！　これからも応援しているよ」で十分なのではないでしょうか。

また、「最近、ランニングが日課です」「お弁当を自分で作っています」「マスクを手作りしました」「医療従事者の方へ寄付しました」などというと、「偉いですね！」と反応する人もいます。

小さい子どもに「お手伝いができて偉いね」というのとは違って、自分よりも目上の人に対して使うと、なんとなく小馬鹿にしたように聞こえてしまいます。

「それは立派ですね」「それはなかなかできないことです（だからすごいことだ）」「素敵なことですね」「尊敬します」というほうが、懐の深さや素直さがより伝わると思うのです。

第3章 礼儀正しい人は無敵である

「後ろの人」に気を遣えるか

あなたの日頃の行動について、簡単な質問を一つさせてください。

普段、会社や出かけた先の建物（デパートやスーパー、コンビニエンスストアや病院など）に出入りする際、一瞬でもいいので振り返って、人がいるかいないか確認していますか？

そのときに「後ろの人」のためにドアを押さえて開けた状態にしている人には、年齢性別を問わず、「なんて素敵なのでしょう！」と思わず声が出てしまいそうになります（頭の中では、いっています）。

そんなとき、ドアを開けてもらった人へ「ありがとうございます」と伝える、ほんの一瞬のやりとりに、嬉しく感じる人は多いのではないでしょうか。

現在では、新型コロナウイルスの影響により、あえて人と近づかないよう距離を置いている人がほとんどですが、ドアの出入りに関して、次の人のためにほんの数秒、ドアを押さえて開けておくという所作は続けていきたいマナーです。

また、買い物でレジに並んでいて、前の人が小銭やスタンプカードを探すのに時間がかかり、後ろで待っているあなたは、「まだかな」などとやきもきした経験はありませんか？

こんなとき店員に対して「時間がかかって、ごめんなさい」と一言詫びたり、会計が終わった後でレジを去るとき、次に並んでいる人に「お待たせしました」と会釈をしてくれると、待たされていたことのイライラが一気に吹き飛ぶのではないでしょうか。

つまり、待たされたという心理的なストレスは、その後の相手の言動によって、より大きくもなれば、より小さくもなるのです。

自分の後ろの人を気にかけるというのは、「最低限の振る舞いができる人でありたい」「人に迷惑をかけたくない」という二つの感覚が土台となっているのではないでしょうか。

どんなときでも、次の人のためにドアを開けておくべきだといいたいわけではありません。

よかれと思ってドアを押さえておくことで、2～3メートルほど離れた場所にいる相手を急かしてしまうこともあるので、ありがた迷惑にならないよう気をつけています。

　これは車を運転するときもそうなのですが、信号のない横断歩道に差し掛かったとき、ベビーカーを押すお母さんや、重そうな荷物を持っている人などを見かけて停止して待っていると、車が待っていることで「早く渡らなくては」と相手を焦らせてしまうこともありますので、手をかざして「どうぞ」と笑顔で軽く会釈をするようにしています。


　そういえば、こんな出来事もありました。

　ある企業へ出向いたときのことです。

　企業研修の提案について、担当者と打ち合わせがあったのですが、帰りにオフィスを出た直後に、反対側から入ってこられる数名の男性がいらっしゃいました。

　私は笑顔で会釈して、「どうぞ」といってドアを開けておきました。

　帰社すると、その日、研修のご担当の方からメールが届いていました。

　それには「吉原先生が帰られたとき、ちょうど弊社の役員たちが帰社しまして、役員たちが先生の立ち居振る舞いに感激しておりました。そのこともありまして、今回の研修内容はスムースに稟議を通りましたことをご報告させていただきます」と綴られていたのです。

私としては、仕事で企業へ伺うときは、出会う人すべてがお客様だと思うほどに失礼のないように気をつけています。

ただ、そのことが講師として安心感を抱いてもらえるきっかけになったことは、偶然にしても嬉しい出来事でした。

また、あるときは私のオフィスからの紹介で、某企業で新人研修を終えた講師女性に、ご担当の方からメールがきました。

「〇〇先生と化粧室でご一緒になった受講者が、先生がもともと洗面台についていた髪の毛を水で流してきれいにされていたところを見て、『研修以外の場所でも、先生は素晴らしかったです』とひどく感動しておりました」という内容でした。

それを本人に伝えると、「そんなところを見てくださっていたなんて全然気づきませんでしたが、嬉しいです！」と目を輝かせていました。

彼女は次の人が気持ちよく洗面台を使えるように、日頃から洗面台に髪の毛やファンデーションの粉などがついていると、手をすすぐときの水をかけて洗面台をきれいにしておく習慣があったのです。

研修会場を一歩でも離れた瞬間、周りの人のことを考えず挨拶も笑顔もないような態度では、「講師といっても、上辺だけだな」などと思われ、研修でどんなことをいおうが、説得力はなくなります。

「習慣は第二の天性なり」といわれるように、日々の習慣が人格を作っていくのだとすれば、彼女のように気持ちよいことを常日頃から心がけることで、人として磨かれるチャンスが増えていくはずです。

きっと、あなた自身も、すでに素晴らしい習慣をお持ちなのではないでしょうか。

その習慣の中に、「後ろの人に気を遣う」ことがまだ入っていないようでしたら、ぜひ今日からとり入れてみてはいかがでしょう！

「コンビニがあるビルが目印です」はNG

初めて訪問させてもらう知人やレストラン、研修や講演会場への行き方を相手に聞くときに感じることがあります。

「最寄りの駅の出口からは歩いてすぐです」という事前情報だけをもらって、電車の最寄り駅に降り立つと、出口が四つあり、改札を出てから地上の出口まで7分もかかったこともありましたし、「1階にコンビニが入っているビルです」と教えてもらったところ、セブン-イレブンとローソンがほぼ隣り合っていて迷ってしまったこともありました。

その場所のアクセス方法をグーグルマップなどで送っていただけることもありがたいのですが、地図には載っていないリアルに役立つ情報を教えてくれる人はとても助かります。

例えば、「雑居ビルが立ち並ぶ弊社のビルの入口は、少し奥まっています。わかりづらくて申し訳ございませんが、ピンクの桜のマークが描かれた『さくら調剤薬局』の立て看板があるビルを目指してください」「銀座線で新橋駅から乗車されるようでしたら、進行方向一番前の車両に乗っていただけますと、最寄りの2番出口が近くなります」「お約束の日は、あいにくビルのエレベーターの点検日と重なってしまう予定です。3

階まで階段でお越しいただくことになってしまい申し訳ございません」などです。

「お花屋さんの隣です」と教えてくれたのに、お花屋さんの開店時間前のアポイントメントだったり休業日だとしたら、「花が表に出ているところを目指せばよい」と思っている人にとっては、不親切な情報になります。

「細かいなあ。そんなの行く人が自分で調べればいい」「僻地《へきち》に行くわけではないんだから、そこまでしなくても……」という人もいますし、ご自身でサクサクと調べて目的地まで、難なく到着できる人もいるでしょう。

しかし、その一方で、私のように地図を読むのが苦手な人もいれば、スマホ世代ではない人もいるわけです。

だからこそ、実際に目的地を利用している人だけが知る先程のような具体的で丁寧な道案内をし、「2軒のコンビニエンスストアが並んでいますが、弊社はセブン-イレブンが入っているほうのビルでございます。当日は、お気をつけてお越しください」などと具体的な一言をプラスするだけで、親切さが際立つのです。

それによって「相手の立場で丁寧な説明をする人」「人が面倒がることをやってくれ

る人」と思われ、普通にしか説明しない人たちのグループから頭が一つ抜きん出ることができるのです。

その結果、「あの人は丁寧だ」といった印象から、「ぜひともお付き合いを続けたい人」という、一段上のステージへと近づけるはずです。

そんなふうに細かいことに気がつき、役立つ情報を丁寧に伝えられる人は、多少難しい依頼でも聞いてもらえるほどの信頼関係を相手と築けるチャンスを作り出せます。

新型コロナウイルスとともに生活せざるをえない今、以前では当たり前だったことが、「安心・安全」のために当たり前ではなくなっています。

例えば、私が通っている美容院では、感染予防策として雑誌やドリンクサービスが中止となりました。

パーマやカラーなどで4時間近くも滞在することになる人もいる場所なので、「〇〇を中止することになりました」と当日になって伝えるよりも、「恐れ入りますが、飲み物はお客様ご自身でお持ちいただけますようお願いいたします」などと事前に周知しておくことは不可欠です。

「コレを事前に伝えたら役立つかな」「この情報を知らせなかったら相手が困るだろうな」などという一歩先の考えを徹底的に持つ習慣が、今まで以上に求められています。

また、友人と出かけたり、お客様と外で打ち合わせする機会がある人は、万が一、相手がマスクを持っていないとか、マスクが汚れたとか、紐が切れてしまった場合などを想定して予備のマスクをバッグに常備し、何かあったときに「よろしければ、お一つどうぞ」と渡せれば、相手はその細やかな気配りに特別な思いを抱いてくれるかもしれませんね。

「先の先」を読んで声をかけられる人

ある冬の日、子どもの幼稚園で餅つき大会があったときのことです。

ボランティアで参加してくれるお母さんたちの代表に、「寒い中、本当にありがとう！」と私も含めてボランティアに参加できなかった皆が、餅つき大会前の登園時に声をかけていました。

すると、ボランティアのお母さんが、「○○さんに『もち米を炊くときの釜の煙で洋服に煙のにおいがついてしまうから、おしゃれなダウンジャケットじゃないほうがいいですよ！』と教えてもらったので、今日は匂いがついても全く気にならないジャケットを着てきました！　そんな情報を教えてくれて本当に助かりました」といっていたのです。

煙のことまで気にかけて、事前に当事者のお母さんへ情報を伝えられる細やかさに感心させられたことはいうまでもありません。

また、仲間６人で出産祝いのプレゼントを友人に贈ることになったときのことです。幹事の一人が、「明日、一人３５００円を幹事にお渡しください」と一斉にメッセージを送ると、翌日、お釣が必要になることを予測して、千円札や五百円玉を何枚も準備してきてくれた人がいたのです。

誰もが、「○○ちゃん、さすがです！　ありがとう！」と称賛したのでした。

さて、細かいことに気づくようになるには、相手の立場になって五感をフルに使い、一歩先まで想像することを習慣化する必要があります。

ちなみに細かいことに気がついたからといって、それを伝えるときに「こんなふうにやらないとダメ」「そんなことも知らなかったの」というような言い方は、いうまでもなく失礼です。

相手に起こりうる少し先の未来を想像できれば、相手にもっと喜んでもらえる「細かいこと」が発見でき、それを相手に伝え、役立つことができるのです。

「○○さんのおかげで、作業が早く終わりました！」「○○さんのアドバイスがなかったら、作業が終わらなかったかもしれません」などといってもらえる機会が増えれば、あなたは常に「必要とされる人」であり続けられるのです。

「細かいこと」をいちいち気にしよう

私は家族から「見ている部分が細かい」といわれることがあります。

父には「私が実家に来ることとわかっていたんだから、靴ぐらい揃えておいてよ」、弟には「うちの子どもたちに『まじ』とか『ヤバい』とか『若者言葉』を使わないでね」と耳打ちしたり、弟が知り合いの人と街でばったり会って挨拶を交わした後、「さっきの挨拶は少し冷たく見えたかもよ」と私が指摘するなど。

こうして文章にしてみると、私のことを「家族はストレス溜まるだろうな」などと思う人もいるでしょう。

おおらかな家族と比べて、私は明らかに相手の言動を見ながら、コミュニケーションをとっていると自覚しています。

「そんなに細かいと疲れない？　というか、こっちが疲れるわ！」といわれれば、ごもっともです（笑）。

しかし、これが私の性分だと家族は理解していて、私がいうことをかわすのが得意だったり、もともと皆、心が強いタイプだからか、私に言い返す言葉が鋭かったり、ユーモアで返してきたりと、お互い様といったこともあり、うまく関係が続いています。

さて、そんな私が「もっとおおらかに生きよう」と目標を立て、細かいことに目をつぶろうとしても、そう思えば思うほど、逆に気になってしまいます。

ただ、そんな性分だからこそ、現在はイメージコンサルタントや講師、本を書くという仕事を細々とではありますが、生業にできているのだという自負もあります。

そもそも、私が家族のようにおおらか（少々、大雑把!?）で、周囲の人たちの言葉や振る舞いにわずかでも違和感を覚えなければ、コミュニケーションやプレゼンテーションの仕事を選ぶことはなかったでしょう。

とはいえ、家族の精神衛生面を考え、「細かさ」ゆえに気づいたことの伝え方やその頻度には、思いやりを忘れないようにしています。

言い方に工夫をしたり、伝えた後は、愛情ある言葉でフォローしたりすれば、決して相手から疎まれるようなことはありません。

細かい視点があるからこそ先まわりできますし、言動によって相手を助けたり、励ましたり、具体的な提案が可能となるのです。

それによって、物事が速く着実に進められるよう準備ができますし、なくてもいい失敗や損失を避けられることのほうが圧倒的に多くあります。

付き合い方やマナーでも、考え方は同じです。

「細かすぎるかな」と思うようなことでも、積極的にすくい上げ、あえて相手に伝えたり行動してみることで、感謝の念を抱いてもらえるようになるのです。

〈何気ない普段の事例〉

・出会ったらすぐに自分から声をかける

「○○さん、おはようございます！」「○○さん、お疲れさまです。先日はお土産をありがとうございました！」「○○さん、先週の資料作成の件、本当に助かりました！ありがとうございました」などと挨拶する。またはそれにプラスして、謝意を瞬時に伝える。

・相手から受け取ったり、預かった資料や本などの上に、手を乗せたりモノを置かない

意外に多いのが、相手から受け取った資料や本の上に、知らず知らずのうちに手や肘を乗せたり、スマートフォンを置く人。資料を下敷きにして、メモをとる人もいるので気をつけよう。

・エレベーターが来たら相手を先に案内する

誰も乗っていない場合は、自分が先に乗り込み「開」のボタンを押す（先に譲るのもＯＫ）。もし、すでに数名の人が乗っていて、中にいる誰かが「開」のボタンを押してくれているのであれば、「お先にどうぞ」と譲る。さらには中でボタンを押してくれている人に会釈、またはお礼を伝える。

・エスカレーターでは自分が常に「地上に近い位置」

相手と同時に乗るときには、相手を見下ろさないように立つとよい。また、中には足元を見られることを気にする人もいるので、相手が気にしているかもしれない部分に目が行かない立ち位置を選ぶ。

〈待ち合わせから一緒にランチをする時の事例〉

・待ち合わせに相手のほうが早く来てくれたら謝意を伝える

相手との関係性にもよるが、友人関係でも「早く着いて待っていてくれてありがとう」の一言があると、相手を大切にしている気持ちが伝わる。何も言わずに「行きましょう」という人もいるが、「ありがとう」という言葉からコミュニケーションが始まるほうが気持ちいい。

・エアコンの風が直接当たらないか確かめる

ドアの近くで騒がしい席のときには「席を替わりましょうか」、エアコンが効きすぎている場合には「お店の方に伝えましょうか」といって行動に移す。

また、それとなく相手におしぼりやカトラリーを渡したり、相手が予約してくれたお店であれば「素敵なインテリアですね」「この椅子、ふかふかで座り心地がいいね」などと食事がスタートするまでに、ポジティブな感想を一つは伝える。

・自ら下座を選ぶ

入店したら上座《かみざ》と下座《しもざ》をすぐさま察知し、「相手ファースト」を徹底する。「〇〇さん、こちらへ」といって上座をすすめるか、あるいはさりげなく自分が下座を選び、声に出さずとも相手が上座に座れるよう誘導する。

また、換気のことを考えて「風通しがいいようなので、窓の近くの席にされますか？」と聞くのもよい。

・お店で注文するときは相手から

メニューが一つしかない場合は相手が読みやすい位置にメニューを持ち、相手の注文が決まったら、あなたが店員を呼ぶ（仕事の場合は立場に応じて、男女の場合には男性が積極的に行う）。注文を店員へ伝えるときには「○○さんから、お先にどうぞ」と順番を譲る。

・相手の荷物を気にする

着席したら「紙袋を置く場所は大丈夫ですか？」「上着は掛けられるか聞いてみましょうか？」、会計時には「お荷物をお持ちしていましょうか？」などと相手の役に立ちそうなことを聞く。

・歩いているときも周囲を気にして声をかける

「もうすぐ後ろから自転車が来るので、こちらへ寄りましょう」「危ないので、もう少し端を歩きましょう」などと安全面に関する声をかける。

「こんなに細かく相手に気を遣っていたら、へとへとになる」「こんなことをされたら、逆に疲れる」と思う人がいるかもしれませんが、それは実際に試してみてからの感想でしょうか？

仮に想像だけでそのように考えているとしたら、それはもったいないことです。

相手を思いやり、丁寧にコミュニケーションをとることは、お互いに気分よく感じられるものです。

私自身、大切な友人や仕事のお付き合いの方に「相手ファースト」を実践していますが、相手が心地よさそうにしている姿を見て嬉しくなりますし、相手の方も、そんな私に心配りをしてくれようとしていることがわかると、ぐっと距離が縮まった気がします。

細かいことは、さりげなくすることが何よりですから、例えば、「どうぞお先に」といって順番を相手に譲るときには、自然に歩く速度を下げて相手を先に行かせたり、手のひらで丁寧に相手を促すジェスチャーとともに、声をソフトにゆっくり話すと自然に感じてもらえます。

もし相手ファーストの意識が高い人同士の場合には、譲られたら感謝してその好意に甘えさせてもらい、別のチャンスで相手に譲ればいいのではないでしょうか。

「わざとらしくならないかな」といった心配はいりません。

不器用であっても、目の前の人のために実際に行動する姿にこそ、人は心を動かされるのですから!

一気にやる気が上がる魔法の言葉

運動神経だけが取り柄だった私が小学生の頃、陸上クラブで走り幅跳びの練習をしていたときのことです。

ある日の練習でのこと、私が跳んで砂場に着地した後、その記録を測定していた新任の先生が、「今のはゼロ!」と大きな声でいいました。

つまり、先生は大した記録ではないので「ゼロ」として、測定距離を私に伝えたのです。

その言い方があまりにショックで、必死に涙をこらえました。

先生は、私を傷つけるつもりはなかったのでしょうが、トラウマとまではいわないまでも、私には何十年も経った今でも忘れられない出来事です。

「ゼロ」といわれ、その悔しさをバネにして成長できる生徒もいるのでしょうが、私は逆に落ち込んでしまい、その日を境に、走り幅跳びが嫌いになりました。

そのことをクラブのリーダーのH先生に相談したところ、「吉原、そんなことがあったのか」と笑顔でいい、続けて「それは傷つくよな。先生だって同じことをいわれたら傷つくよ。よし、もう一度頑張ってみろよ。きっと吉原のいいところが、もっと出てくるから！」と背中を押してくれたのでした。

このエピソードで着目したいのは、H先生がいってくれた「吉原のいいところが、もっと出てくるから！」という励ましの言葉の「もっと」です。

仮に「もっと」という一言がなく、「吉原のいいところが出てくるから」といわれたとすれば、今までは「いいところがゼロ」だけれども、これから未来に向けて「いいところ」を一から出せばいいじゃないか、といった意味に聞こえてしまいます。

H先生は「今までの頑張りも知っているよ」という思いを込めつつ、未来への希望が感じられる言葉として「もっと」とつけ加えてくれたのかもしれません。

「もっと」という言葉は、うっかり聞き流してしまいそうな短い副詞ですが、その効果は絶大です。

「もっと」の他にも有用な副詞はたくさんありますので、会話の内容や状況に合わせて、おおいに活用してみましょう。

〈副詞をプラスした言い換え〉

①さらに

「ご活躍を願っています」→「今後も、さらに活躍されることを願っています」

・すでに活躍されているが、さらに活躍できる可能性を込めてエールを送っている印象へ変わる。

②ずっと

「応援しています」↓「ずっと応援しています」

・未来にも続く思いを匂わせて、迷うことなく真っ直ぐに相手を応援したいという思いが伝わる。

③より

「この部分を修正していただけると、説得力が増します」↓「この部分を修正していただけると、より説得力が増します」

・今のままでも説得力はあるけれども、修正によってさらに増すことが伝わり、相手も修正に対する抵抗がなくなる。

「もっと」「さらに」という言葉は、向上心や上昇志向がある人には効果的ですが、なかなか自信が持てない人にとっては「もう十分頑張っているのに、何をこれ以上頑張ればいいのだ」とプレッシャーになってしまうこともありますので、相手によっては「このままでもいいんだよ」という言葉をかけてあげられたら素敵です。

話は変わりますが、私の知人に、ある出版社から過去の本を文庫化してくれるというオファーのメールがあったそうです。

「文庫の魅力を最大限に活かした、よいご本にリフレッシュできるよう作業に入らせていただきます」といった内容で熱意はあったにしても、「よいご本に」というのは、現状の本が「あまりよくない」「そこまでよい本に達していない」という意味にも聞こえてしまいます。

そこで、「さらによいご本」というふうに、「さらに」あるいは「より」などという一言を加えるほうが、断然失礼がなく、心地よく感じられます。

「どうか」「ずっと」「より」「ぜひ」「ぜひとも」なども同様に活用したい言葉です。

社内や子どもの行事のボランティアのお知らせで、「ご協力ください」「参加してください」と周知することは、誰にでもできます。

しかし、「どうか皆さま、お一人お一人のご協力をよろしくお願いいたします！」「あなたのご参加を、心よりお待ちしております。ぜひ、ご連絡ください！」などという伝え方のほうが、相手を熱烈に歓迎している思いに溢れ、「協力しようかな」「参加しよう」といった気にさせられるのではないでしょうか。

これらの言葉をこれまで、あえて使っていなかったとしたら、ぜひ今日から、より意識して使ってみてはいかがでしょうか。

知人が来たら、すぐ立ち上がる

会社面接の控え室で応募者として待っているとき、取引先やお客様になる可能性のある人との会合や、あなたから会ってほしいと頼んで待ち合わせのお店の椅子に掛けて相手を待っているときなど、あなたが過去に大切な場面で誰かを待っていた状況を思い出してみてください。

そういう場合、「礼節のある人」「自信のある人」という印象を、後から現れた相手に与えられる所作があります。

それはずばり、相手を見たら、すぐに立ち上がるということです。

座ったままで相手が着席するのをただ待つのではなく、相手に気づき、視界に入ったり目が合ったときに、その場で素早くスッと立って、目を見ながら堂々と挨拶していますか？

その姿は礼儀正しいだけではなく、余裕や自信が感じられて、なんとも立派に見えるはずです。

こんなことをいっている私ですが、20代の頃は仕事で人とお目にかかるとき、相手が来ても平然と座ったまま相手のことを見上げて、「あっ、こんにちは」などといっていました。そんな私を見て、生意気だと思われていた方がいたかもしれません。

そのころは、座って挨拶をすることに、ためらいすらなかったのです。

そのうちフリーランスとして研修講師業をしていくうちに、以前よりも人と会う機会が多くなっていきました。

講師の先輩方が、お客様と打ち合わせでお会いするときに同行すると、まずは自分たちが先に到着することを前提とした上で席に着いて待っていて、相手が現れるとすぐさま優雅にスッと立ち上がり、相手の方に体の向きを変え、優しい表情で生き生きと挨拶する姿にハッとし、次第に私も真似をするようになっていきました。

そのような挨拶を徹底していると、相手と会えたことへの感謝の気持ちや、「早くお会いしたかった」といった歓迎の気持ちを表現できますし、逆に相手に同じことをしてもらえると、「歓迎してくれているようで嬉しくなるな」「なんて律儀な方なんだろう」などと感じて、会話の滑り出しが一気によくなります。

つまり、「立つ」という行動だけで、相手を敬いつつ迎え入れる準備が万端だということを、全身から発せられるのです。

先日は私の知り合いの編集者さんが、２人の大物作家さんたちとの対談話をしてくれました。

編集者さんと大物作家のＡさんが待ち合わせの部屋に早めに到着すると、そこにはすでに大物作家のＢさんがいらして、２人が入室するとすぐＢさんは立ち上がり、「おお皆さん、お待ちしておりました」と明るく穏やかに挨拶をされたそうです。

編集者さんはそのことに感動し、「どんなにお年を召していても、礼儀として、誰かを迎える際には椅子から立ち上がる。今まで自分が徹底できていたか自信がないのですが、今後は気をつけたいと思いました」と話をしていたのが印象的でした。

「実るほど頭《こうべ》を垂れる稲穂かな」ということわざもあるように、大御所といわれるような作家さんほど、常日頃の所作はいたって謙虚なのかもしれません。

ちなみに、相手を迎えるときに席を立つということを目上の人より、目下の人が率先して行うべきと思う人もいるかもしれませんが、私自身は「先に気づいた人がすればいい」という結論に達したので、相手がどんな人であろうが、現在も実践しています。

もちろん、慣れ親しんだ人同士であれば、立つことを省いても何ら問題はないかもしれませんし、足腰が痛いだとか、立ったり座ったりすると隣の席の方に少々、迷惑がかかってしまうような場所もありますから、ケースバイケースではあります。

あるとき、私がレストランに入るとすぐ、すでにテーブルに着いていた目上の知り合いの方と目が合いました。

その方のテーブルにはまだお料理がなく、食事前だとわかり、テーブルへ挨拶をしに行きました。

すると、私を見て椅子から立ち上がろうとされたので、「どうぞ、おかけになっててください！」と私がお願いすると、「ごめんなさいね、私だけ座ってて」とおっしゃいました。

私が立っていることを気にかけ、声をかけてくれた女性の一言に感動しました。

実は以前、私たちと全く同じシチュエーションの人たちを、ホテルのロビーで見かけたことがありました。

終始、テーブルに座っていた人たちに対して、一人、立ったままで5分以上も話している人がいたのです。

5分も話すことがあるのなら、空いていた椅子に座らせてあげればいいのに……と、座っていた人たちの気の利かなさを、残念に思いました。

こういった状況のとき、すすめたくても椅子やスペースがない場合もありますが、私も知り合いの女性のように、「ごめんなさいね、私だけ座ってて」という一言をかけられる大人でありたいです。

座っている人からすると、立っている人を見上げることになって首がしんどいですし、立っている人からすると、座っている人を見下ろすような目線になりますから、互いに気になるはずです。

状況に合わせて快適でベストな位置を考え合えると素晴らしいですね。

自分から頼んで誰かと会うときや、お見合いなどの初対面のとき、ビジネス上の関係、明らかに目上の方とお会いする、などといった場面では、第一声の挨拶と一緒に、「すぐに立ち上がる」という所作を徹底する。たったそれだけで、あなたがいかに礼節を重んじ、やる気や情熱を持った人であるかをアピールできるのです！

「せっかく」は共感力ナンバーワンの言葉

風邪による発熱から数日ぶりに解放されたある冬の日、気づけばすっかり月末でした。月末といえば、会社の締めや支払いなどの期限が迫る時期でもあります。

まだ少しフラフラする、だるい体を引きずりながら、銀行のＡＴＭにキャッシュカードを入れたところ、「申し訳ございません。こちらのキャッシュカードは磁気が読み取れません」というエラー画面がでました。

私はキャッシュカードを乾いたハンカチできれいに拭き取り、何度か試してみたのですが、結果は同じ。別のATMも試してみたのですが、やはり使用不可でした。

窓口で再発行かと思うと、なぜよりによってこんな体調不良の日に限って……という悔しさがこみ上げました。

後日、事前に電話で聞いておいた銀行印と身分証明書を持って、その銀行の窓口に向かい、キャッシュカードを再発行してもらうことになりました。

窓口で事情を説明し、手続きをしながら悔しさをにじませた私は、担当してくれた女性行員に「キャッシュカードは大切に扱っていたんですけどね……」といいました。

するとその女性が、「せっかく大事にご使用いただいていましたのに、ご不便をおかけして申し訳ございません」と言葉には抑揚をつけ、表情も悲しげに、いかにも申し訳なさが伝わるような言い方で反応してくれたのです。

その後も、テキパキと準備してくれたり、再発行のカードが一日でも早く手元に届くよう丁寧に説明してくれたり。そんな彼女の姿勢に、「窓口に行って手続きなんて、時間の無駄でしかない」と思っていた私の気持ちは、不思議なくらい晴れやかに変わっていったのでした。

皆さんにも、私と同じように、「せっかく○○してくださったのに……」といわれて、気分が明るくなった経験があるのではないでしょうか。

もしも、あのとき私の話を聞くだけ聞いて、「かしこまりました。それでは、早速手続きいたします」といわれたら、私は全く別の気分で銀行を後にしていたことでしょう。

たった一言、「せっかく」をプラスするだけで、共感している思いを相手に伝えることができるのです。

ただ、「せっかく買ったばかりの時計だったのにね」などと、モノを失くしてしまった人へ伝えるのは、悲しい出来事を思い返させてしまうことになり、嫌味に聞こえることもあるので気をつけましょう。

気が利かない人の共通点

私は、子どもの頃から現在に至るまで、「気が利く人」に囲まれて育ってきたわりに、未だに自分はまだまだ「気の利く人」の領域に到達していないと歯がゆい思いをすることがあります。

友人や家族の集まりで、「ちょっと、それ取って」「お箸、もう一膳どこにある？」などと聞かれる前に、自分から気づける人でありたいと常々思っています。

あるとき、レストランで相手を待っていると、幼稚園児と思しき男の子の誕生日会が開かれていたらしく、その賑やかな光景を微笑ましく見ていました。

トータルで20人くらいのお母さんと子どもたちが参加していて、バースデーケーキを囲んでみんなで写真を撮る段になったときのことです。

何枚か撮影した後、主役のお子さんと、そのご家族だけで撮影することになり、ゲストとして招かれたお母さんたちが「笑って、笑って！」などと、いい表情を引き出そうと声をかけていました。

何枚か撮影されていたのですが、その中にゲストとして招待された一人の男の子がケーキの隣に立ち尽くし、家族写真に一緒に入っていたようです。

そこで、他のお母さんたちが「○○くん、ちょっとこっちへおいで」と優しく声をかけますが、男の子は微動だにしません。すると、「うちの子は本当にかわいいわ……」

とばかりに、うっとりと笑みを浮かべ、その男の子をじっと見ている一人の女性を発見。その女性こそが、写真に写り込んでいる男の子のお母さんで、それに気づいた他のお母さんたちの表情は引きつっていました。

ご家族にとって大切なお祝いの日であり、子どもの成長の記録となる誕生日会での写真は、一生の宝物として大切にされるはずです。

なぜ、「ほら、ご家族の写真撮影だから、ママと一緒にこちらで待っていようね」といって、息子を早々に離れさせなかったのでしょう。

結局、最後の最後に、そのお母さんは慌てる様子もなく「おいで～」といって男の子の手を引き、渋々、その場を離れていったのでした。

気が利かないとはこういうこと！　と感じるとともに、もしも同じようなことを自分がしていたら、その姿は恐ろしいほど恥ずかしいだろうなと想像してしまいました。

気が利かない人というのは、まさに自分のことしか見えていないのです。

我が子は誰にだって愛しい存在ですが、あの状況で誕生日の主役のお子さんやそのご家族と一緒にカメラに納まっている我が子を見てうっとりとしていた母親は、「うっかり」「のんびり」というよりも、傲慢無礼にすら感じてしまいました。

また、友人や同僚との食事の席で、自分の目の前にある大皿料理が減っていなければ要注意です。

他の人たちとシェアしている大皿を自分の場所で止めず、他の人たちもとれるよう、自らが「これ、召し上がりますか？」と声をかけたり、まだ食べていない人のところへ手渡すほうがよいでしょう。

また、「一件、電話がかかってくる予定なの」という人は、上座の奥に座ってしまうと、電話がかかってきて退席するときに食事を楽しんでいる人にわざわざ動いてもらわなくてはなりませんから、最初から出入り口に一番近い席に座ればよいのです。

「明日の打ち合わせの後は、そのまま東京駅から新幹線で実家へ帰り、連休中は家族と過ごす予定です」と伝えていたのに、当日、「返すのは早いほうがいいと思って」と何冊もの借りていた書籍を持ってきたり、「引越し祝いがようやく渡せてよかったです！お花がお好きでしょうから、ぜひ花瓶として使ってください」といって、重くて大きな紙袋を渡してくる人がいたら、あなたはどう思いますか？

借りたものを忘れずに返してくれたり、お祝いのためにプレゼントをくれるような素敵な人でもあるのに、「なぜ、今？」と突っ込みたくなるようなタイミングや行動に遭遇する人は少なくないはずです。

気が利かない人といっても、意地が悪かったり、腹黒くて何を考えているかわからないわけではなく、ほとんどが温厚で優しい人たちです。

ただ、気が利かないばかりに、結果として人に迷惑をかけたり、不快な思いをさせてしまっては、「気が利かない身勝手な人」「なるべく距離を置いたほうがいい人」という警戒心を相手に抱かせてしまいます。

気が利く人と、気が利かない人の差は何なのかといえば、ずばり「相手のことを想像して的確に動けるか」というシンプルな違いにすぎません。

決して難しいことではなく、「自分が相手の立場だったら、どう思うか」という自問自答ができればよいのです。

ですから、もっと気が利く人になりたいと思ったら、行動を起こす前に、まずは相手の立場になって状況をイメージするところから始めるとよいでしょう。

それができれば、あなたはすでに「気の利く人」の視点に立てています。

後は、行動あるのみ！

気が利く人というのは、「あれもこれも、今しなくては！」と思いつきで動くのではなく、「今はやめておこう」という、「引く行為」もできる人のことをいうのです。

ちょっとした愚痴には付き合う

「愚痴はいうな」「愚痴に付き合うことはない」「愚痴はいうだけ時間の無駄」などとよくいわれますし、書籍などに書かれているのを目にした人も多いでしょう。

あなた自身、人前でなるべく愚痴をいわないようにしようと気をつけているかもしれません。

「愚痴」という2文字の漢字には、ともに「おろか」という意味があります。

話しても仕方がない愚かなことこそが愚痴であり、お釈迦様は人間の善心を害する原因の中でも、特に強力なものの一つが「愚痴」であるともいわれたそうです。

当然、私自身も人前で愚痴をいうことを控えたり、他人の愚痴にはあまり巻き込まれたくないなと思っています。

ただ、ほんのちょっとした愚痴というのは、ときとして人間関係にポジティブな連帯感や笑いを生み出すきっかけにもなりうると感じています。

ですから、自分からはあえて愚痴をいわないまでも、自分にとって大切な相手がそういったたぐいの話を始めたら、その愚痴に付き合ってもよいのではないかと考えています。

といっても、あくまで誰かを傷つけたり、不道徳な内容の愚痴は除きます。

愚痴を聞いて明るく笑い飛ばしてくれるような人がいると、どっしりとしたおおらかさを感じて、嬉しくなったりもします。

私の親しい友人の中には、あらゆる愚痴を面白く変えてくれる人たちが大勢います。

あるとき、子どもが通っていた学校の定例保護者会が終わったとき、Aさんが「珠央さん、お疲れ様！　顔に『保護者会、長すぎっ！』って書いてあるよ」と笑いながら近づいてきました。

「がーん、顔に出てた⁉　笑顔を心がけていたつもりだったんだけどなぁ（笑）。毎回、配布プリントの内容と同じことだから、読めばわかるのにって思っちゃう。先生方は素晴らしいんだけどね」と私がいうと、「その通りだよね～。私も顔に出てたかも！」と笑って、私の小さな愚痴に付き合ってくれたのです。

仮に私が「保護者会、長すぎじゃないですか⁉」と愚痴をこぼし、それに対して「学校運営において必要なことですから仕方ないでしょう」などと正論をいわれたり、「まあまあ」などと軽くあしらわれるような反応をされたとしましょう。

決して相手は間違ったことをいっているわけではないのですが、こちらとしてはいい気はしません。

会合が長いといった程度のちょっとした愚痴には、「軽くストレッチしてみる？」「学校側にも準備のご苦労はあるかもしれないけど、いつも内容は一緒だよね～」「熱心なのはわかるんだけど、話が長いよね～」などと前向きに共感を示してくれる人には優しさと柔軟性を感じます。

当然のことながら会合が長いと思わなければ、無理に同調する必要はありません。

また、「いつも長くて本当に嫌！」などと語気を強める人がいたとすれば、「物思いにふけっていたから、気づかなかったよ！」「とにかく、はい、作り笑顔キープ！」などといえば、笑いが起きるかもしれません。

軽い愚痴をこぼしたくなるときは、誰かに正論をいわれたいとも、説教をされたいとも、突き放してほしいなどとも思っていないのです。

極端に悪意があったり、常識を逸脱した愚痴には関与しないまでも、「ついこぼしたくなる」軽い愚痴に対しては、否定やお説教よりも、笑いに変えたり、「時間は大丈夫？」などと心配するかのような反応ができると、人付き合いがよりうまくいく気がします。

「課長の言い方、なんでいつも刺々《とげとげ》しいんだろう」という同僚がいて、あなた自身もそのように感じているとすれば、「私もよく刺されてる！」などといって同僚の愚痴に付き合えば、笑い合えてストレス発散にもなるはずです。

しかし、課長の言葉に多少棘《とげ》があったとしても、愚痴をこぼした本人に明らかに原因があるようなときもあるでしょう。

そういうときは、間違っている相手をわからせなくてはと「課長は、そんな人じゃないよ」と正義をかざすより、「棘はやめてほしいよね〜！」と一般的な視点で伝えたり、「やだ、そんなに棘のある言い方だったの？」と課長を否定せず、「棘」にフォーカスしながら相手の話を聞くこともおすすめです。

相手のちょっとした愚痴に対して、笑いやおおらかさで反応できるセンスを今以上に磨くことで、あなたは大切な人をより大切に、元気にできるのです。

人との会話で緊張しやすい人でも、普段からイメージトレーニングをしていれば、咄嗟に言葉が出てきやすくなります。

自分を元気にしてくれるような人がいたら、誰でもその人のそばにいたいと思います。愚痴をユーモアで返す練習、さっそく今日から始めてみませんか？

嫌な予感を見逃さない

突然ですが、今まで経験した、心臓が止まるほど驚いた出来事の中でもワースト5に入るのが、20代の頃、パリで遭遇したある事件でした。

フランス生活がすでに3年をすぎ、フランス語も流暢に話す友人を訪ねての旅行でのことです。

パリに暮らす彼女とオペラ地区にある老舗デパートの「プランタン」へ行きました。

オペラ地区とは、世界中から多くの観光客が訪れる華やかなショッピング街で、日本でいえば、銀座に近い存在です。

しばらく歩いていると、ヨーロッパ系の20代の青年が私たちに道を尋ねてきたのです。

彼は持っていた地図を広げると、少し拙い英語で「この場所に行きたいんだ」と、ある場所を指差しながら私たちに見せました。

パリに詳しい彼女が親身になって説明を始めて5秒ほど経ったとき、私はなんとなく彼の全身をチェックし始めました。

すると、地図を持っていないほうの手が、なんと彼女のバッグの中にあるお財布を摑《つか》もうとしていたのです！

私は、すぐさま、「えっ！」と声を出して、「お財布をとろうとしている！」と彼女にいいました。

彼はしまったとばかりにハッとした表情で私のほうを見て、「I don’t know」（よくわからない）といいながら、人混みの中へ消えていったのでした。

結局、お財布はとられずに済みましたが、彼女は「いつも気をつけていたはずなのに」と、だいぶショックを受けていました。

窃盗未遂に終わったものの、彼の悪事を発見した瞬間、「もし武器を持っていたら」「もし攻撃をしてきたら」という、次にくるかもしれない最悪のシーンが頭の中を駆け巡り、その恐怖と緊張で全身が凍りついたように固まってしまったことを未だに覚えています。

実はあのとき、地図を持った青年が近づいてきたと同時に、3メートルほど離れた場所から、私たちを鋭い眼光で見ている、もう一人の青年に気づきました。

「何かがおかしい」というほんの小さな予感から、私は道を尋ねた青年の全身をチェックしたのです。

あのときはたまたま被害を回避できたにすぎなかったのかもしれませんが、道を尋ねてくる人を信用しすぎて視野が狭くなり、無防備になってしまう人は想像以上に多いのかもしれません。

「もしかしたら……」といった嫌な予感というか直感は、誰もが抱いたことがあるはずです。

このような体験から、私は現在も、相手の言動をよく観察するようにしています。

〈相手を観察するときのポイント〉

・笑っているときの表情のこわばり（口角だけではなく、目が笑っているか）
・普段よりよく喋る、または沈黙が多い（よく喋るときは触れられたくないことがあるか、または隠しごとをはぐらかしている可能性がある。沈黙は心配ごとがある、警戒心など）
・挨拶の声の張りや大きさ、トーン（極端にストレスを感じたり、悩みがあるときは、呼吸が浅くなり、声が弱々しくなる）
・目線がよく動く（目の前のこと以外に関心がある。周囲の目が気になっている）
・挨拶の長さとアイコンタクトの長さ（相手と話したいと思うときは、どちらも長い）

・ため息や「あ～あ」という言葉が多い（失敗、心配事、嫌なことがあったり、疲労が溜まっている）
・顔や髪を頻繁に触る（落ち着きがなく、不安やストレスがある）
・脚を頻繁に組み替える（話に飽きている。早く帰りたい）

毎回、必ずしも列挙したポイントが発見できるとは限りませんが、相手を見たときに「少し疲れているようだ」「緊張しているようだ」などと感じれば、「深刻な話は今度にしておこう」「答えやすい質問をしよう」「もっとこちらが笑顔になろう」などと会話に生かすことができます。

相手の姿や言葉、仕草までを意識して見てみると、あなたの五感はさらに研ぎ澄まされ、細かいところにまで気づけるようになるはずです。

自分にとって必要な人を見極める

仕事がなくなり、収入源がなくなったらどうしよう……といった不安は、誰もが一度は考えたことがあるのではないでしょうか。

広告などで「起業、副業で月収１００万円！」などと謳《うた》っているのを目にし、たまらなく焦燥感を覚えるとしたら、「誰もが年々、もっと稼ぐようにならなければならない」という強迫観念を持っているのかもしれません。

そんなとき、私たちに一体、何が必要なのでしょう。

私は、誰もがそこまで「稼げるエース」にならなくてもよいと考えています。

私自身、ビジネスセンスがずば抜けてよいわけでもなく、類まれな才能があるわけではありません。

会社員を辞めてフリーランスとして25歳から、細々とですが、私が今の仕事をしてこられたのは、顧客が多かったからではありません。

自分にとって、本当に必要な人たちから必要とされるための言動を徹底し、少数ながらも深いお付き合いができる方たちとの関係を継続できたからだと、自分では分析しています。

私は、普段から主にプレゼンテーションについてのアドバイスやトレーニングをしていますが、「そこそこ興味を持ってくれるお客様」が1000人いるよりも、真剣に問題を解決したいと考える10人のお客様がいてくれるほうが、ビジネスは成り立ちます。

つまり、自分にとって本当に必要な人たちを見極め、使うべきエネルギーをその方々に集中して注ぐのです。

自分にとって本当に必要な人を真剣に探し、関係を築く努力さえ惜しまなければ、「もっとこの人たちのために何かできないか」という気持ちで行動することができます。

あなたと私の仕事は多少異なるかもしれませんが、考え方において共通するところはいくつかあるのではないでしょうか。

まずは、「必要な人」に対する考えをまとめてみます。

〈自分にとって必要な人〉

①心身ともにたくましさがある人

常に健康的で冷静に振る舞うことができ、余計な不安や不満を口に出さず、できないことや空想ばかりの話ではなく、現実的な話ができる人。

②礼節を重んじる人

言動に注意して人と接し、コンタクトがしっかりととれる人。不誠実な人を嗅ぎ分けて、そういった人たちをしなやかにかわせる人。

③お金に対して現実的である人

お金に対して誠実であり、お金を減らさないことに執着するよりも、無駄がないかを常に合理的に考えてお金を増やせるセンスがある人。管理することに責任が持て、「価値」を分析してからお金を使える人。

収入面については、具体的にキャリアプランを立てて実行することは大切ですが、それと同じくらい、自分にとって必要な人とはどのような人かを見極め、その人から信頼される言動を身につけることのほうが、長い目で見たら投資に値すると断言できます。
あなたにとっての「必要な人」とは、どのような人ですか？

ぜひ一度、書き出してみませんか？

書き出した必要な人に、あなたの言動も近づくことができれば（あるいは、すでに同じような言動がとれていれば）、必要な人との出会いや関係性に変化が訪れる可能性があります。なぜなら「合意的妥当性」といい、自分と同じような言動をする人に、人は好意を持つといわれているからです。

あなたの誠実な言動は、今後、様々なチャンスをより引き寄せるきっかけとなっていくのです！

「プレゼン力」はさらに重要になる！

2019〜2020年に保険会社やファイナンス系団体が実施した「小中学生が将来なりたい職業ランキング」では、「ユーチューバー」がトップ10にランクインする結果となりました。

「ラクしてお金を稼ぐ仕事」と思う人もいるかもしれませんが、実はユーチューバーとなって生計が立てられる人は、全体のほんの一握りの人たちです。

広告収入で生計を立てたいと思っているユーチューバーの96・5%が平均的なアメリカの貧困ラインを下回る収入しか得られていないというデータもあるそうです。

家で巨大プリンを作って食べたとか、100万円でスナック菓子を買ってみたらどうなるかとか、自宅で部屋着のまま髪をピンクに染める動画で再生率が数万回以上、視聴者数が数万〜100万人を超える人たちを見て、「こんなの簡単だから自分にもできる」と思って実際に真似てみたり、あるいはより過激なことをしようと試みた人がたくさんいるかもしれません。

ところが、生計を立てられるまでになるのは茨の道のようです。

過激な動画だけでなく、知識や情報などをわかりやすく教えてくれる人気動画も数多くありますし、「ラクして稼げる」「ちょっと努力すれば、大金が得られる」などというイメージが持たれやすいユーチューバーですが、動画づくりは緻密な作業が必要ですし、編集には時間や労力もかかります。

そこで、もしあなたの家族の誰かが「本気でユーチューバーになりたい!」といったら、あなたはどうしますか?

私でしたら、「アイディア力とプレゼン力を磨くといいね！」というアドバイスをします。

さて、新型コロナウイルス感染防止のため外出自粛要請が発令された2020年3月。業種にもよりますが、可能な限り企業はテレワークへとシフトし、会議はZoomなどのオンラインに移行するケースが増えたようです。

これは企業に限らず、国内のいくつかの学校でもeラーニングシステムを活用していますし、日本の公立の小中高校でも、いずれはごく当たり前のように導入されていくと見られています。

このように多くの職場や教育現場でデジタル化やAIの活用が見られ、コミュニケーションにおける効率化のペースも加速しています。

ただ、こうしたテレワークにしても、先程のユーチューバーにおいても、仮に意見を伝達するツールがデジタル化されたとしても、結局は自分の考えをどのように相手に伝えるかという根幹は変わることはありません。

ツールの利便性や効率性が向上するたびに、私はプレゼンテーション力（伝える力）

の重要性も比例して高くなると考えています。

そこで、これからますます増えると予想される、パソコンを介して会話をするときに気をつけるべき、七つの重要なポイントをご紹介します。

〈パソコンを使った会話で徹底すべきポイント〉

①はっきりとした発声

デジタルツールの場合、声にフィルターがかかったように聞こえることがあるため、会って話をするときよりも2割から5割ほど、口を縦と横に口をはっきりと開けて、一語一語はっきりと発音する。そうすることでスピードも抑えられ、聞きやすくなる。

②ワンフレーズの後に間を入れる

通信環境によって音声が突然途切れる場合も想定し、流れるように話すのではなく、「おはようございます。本日もよろしくおねがいします」などという一つのフレーズの後、1秒の間を入れて続きを話す。

③話を15秒以内に区切るイメージを持つ

音声が突然切れてしまうかもしれないので、再び音声が接続されたときに話を簡単に元に戻せるよう、一つひとつの説明を15秒以内に区切るイメージで、相手に伝える。

④自分の話が終わったら、相手に口頭で繋げる

自分の意見を出した後、「○○さんはいかがですか？」と、具体的に名前を出して質問し、自分の話が終わったことを明確に示す。

仮に特定の相手の名前を出しづらいときは、「……と私は考えています。以上です」と自分の話が終了したことを明確にする。

あるいは、「……です。以上です。何か補足はございませんでしょうか？」などと参加者全員に話を振る。

⑤手のジェスチャーで躍動感を演出

画面に映り込む範囲内で、手を使ったジェスチャーを活用すると、説得力が増す。

⑥表情の動きを大きくする

画面上では表情の動きが読みづらいため、話を聞いて頷くときは、普段よりも首を3～5㎝ほどゆっくり、大きく動かす。また、目力を強めるには、あごを3センチほど引くと効果的。内容が深刻なときを除いては、口角を3センチほど上げ、笑うときには前歯を6～8本、はっきりと見せるようにする。

下向きに画面を見つめると目が小さく見えたり、上から見下ろした表情となるため、パソコンのカメラにも目線を配る。パソコンやタブレットを重ねた本の上に置くなどすると、顔や目線が下に向かわずに済む。

⑦背景をシンプルにする

画面に映り込む背景から、人が反応しやすい「光るもの」「動くもの」「絵や文字が書いてあるもの」を取り除くと、集中してもらいやすくなる。自分の画面を見る人が集中しやすいよう、背景は白に近い色の壁やモノの前にする。本棚が後ろにあると、本のタイトルが気になる人もいるので、可能な限りモノは見せないようにする。

わかりやすく伝えることは、お互いの時間を尊重することにもなりますから、実践できていないことがある方は、ぜひともとり入れてください。

どのようなツールであっても、相手を思いやって工夫することで、より使いやすく効果的に活用できるのです。

コミュニケーションは投資である

あなたは資産を増やすために、何か投資をされていますか?

私は投資の専門家ではありませんが、投資といえばリスクとリターンについて考えるという、基本的なことは知っています。

例えば株式投資の専門家たちは、「株は中長期的な投資である」といいます。

コミュニケーションについても同じことがいえると、私は考えています。

特定の相手と仲よくなりたいとか、信用してほしいと思ってコミュニケーションをとるとき、会話に含まれる一つひとつの意味や気配りが積み重なって、「相手との良好な関係性」というリターンが手に入るからです。

このリターンの関係性には、レベルがあります。

「パートナーレベル」「2人きりで会えるレベル」「知り合いレベル」、さらには残念ながら相手があなたに興味を示すことはなく関係が途絶えるといった「ノーリターン」という場合も考えられますが、落ち込む必要はありません。

諦めることも時に大切ですが、投資は中長期的に考えればよいので、一度や二度、相手が自分に無関心だったとしても、タイミングやアプローチの仕方を変えたり、頻度を上げたり下げたりするなど、いろいろ試すことができるからです。

大きなリターンを早急に求めるのではなく、「笑顔で挨拶を返してもらえた」「1分間の立ち話ができた」「名前を覚えてもらえた」などという小さなリターンの積み重ねこそが、親しくなりたい相手と関係を築く上での大きな一歩となります。

一見すると地味に思える挨拶や、咄嗟の気遣い（ドアを開けてあげる、ささやかなことにも「ありがとうございます」を欠かさない、遠い距離で目が合ったら笑顔で会釈するなど）が、結果的に後にじっくりと話せたり、あなたに必要な人を紹介してもらえるきっかけになることもあるからです。

人間関係も投資（目の前の相手を思いやりながら丁寧に対応すること）と同じと考えている人たちは、自分にとって必要な人や、「もっと話してみたい！」と思える人たちからのリターン（信頼）を得ることになります。

それにより、腹の底から笑い合える楽しいひとときや、心地よい会話、より快適に生きていくための情報や刺激などが得られるのです。

お金では買えない「必要な人からの信頼」を増やしていくことは、私たちが生きていく上で、非常に価値の高い配当であることに気づいていただけたでしょうか。

ただし、実際の金融商品への投資で得られる物質的なリターンとは異なり、コミュニケーションで得られるリターンは人の感情が主体なので、誠実に受け止め、持続させないと、いとも簡単に失ってしまうこともあるので、用心したいところです。

私たちの生活の中で当たり前と思ってしている仕事の中にも、いつどのようなリターンへと繋がるかわかりません。

例えば以前、近所のスーパーのレジ係の店員で、毎日笑みを絶やさず、礼儀正しくて仕事が早く、温かみのある声かけを徹底している20代の女性がいました。

そのスーパーを利用する友人たちの間でも、「あの店員さん、いつも感じがいいよね」と話題にのぼるほどでした。

人づてに聞いたのですが、あるご家族がそんな彼女の働きぶりを見て感動し、レジ係としてのお給料の2倍を支払うという条件で、我が子のベビーシッターとして働いてほしいというオファーをされたそうです。

結局、彼女自身が産休に入ったためレジの仕事を休職することになり、先程のオファーにも応えられなかったそうですが、そのように評価してくれたことを彼女自身、とても喜んでいたという話を聞きました。

このことは、彼女の日頃の小さな気配りの積み重ねによる、大きなリターンだったことは間違いありません。

このようにコミュニケーションに真剣に投資するということは、目の前の人を「仕事で接する相手」と一括《ひとくく》りにするのではなく、個々の相手を敬い、常に礼儀正しく接することなのです。

そうすることで、誰にでも思わぬ幸運が訪れるチャンスがあるのです。

さらには、笑ったときの表情筋の動きによって、ポジティブな感情が喚起されるといった研究結果もありますので、コミュニケーションにおいて、「いい表情でいる」「ポジティブな言葉を使う」「機嫌よく振る舞う」ということが、いかに重要かもわかります。

さあ、あなたにとっての大切な人を思い浮かべて、今すぐ、コミュニケーションへの投資を真剣にスタートしてみませんか！

あとがき

本書を最後までお読みくださり、本当にありがとうございました。

この本を通して、あなたなりの「失礼の正体」を見つけ出し、「本当の礼儀正しさ」という宝物を一つでも手にしてくださっていたら、とても嬉しいです。

これまでの言動の習慣の中から何をマイナスし、何をプラスするかによって、あなたの礼儀正しさはさらに磨かれます。そして、大切にしたい相手との関係性に新たな素晴らしい変化が起こることを願っています。

本書の中には、「少しも失礼ではない」と感じられるエピソードもあったかもしれません。

どうぞ、ご自分の尺度を尊重し、「失礼な言動と人生」についての考えをシンプルに研ぎ澄ませてみてください。

この本を書いているとき、まさに私自身、失礼な言動を毎日振り返っていました。誰かを傷つけていないだろうか、誰かが落ち込んでいないだろうか、などと考えていると、改めて自分の言葉や態度、礼儀についてを見直す好機となりました。

そして礼儀について、もう一つ大切なことがあります。

それは、他人には求めないということです。

恥ずかしながら、私は恩着せがましく「次の人のためにドアを開けてあげたのに、会釈もないのは残念だ」と感じることもあります。

客観的に見ると、相手に頼まれたわけでもなく自分で勝手にしたことであり、相手にしてみたら必要がなかったことかもしれません。

相手に会釈を求めた時点で、それが本当の礼儀からかけ離れていることだと肝に銘じています。礼儀に則って行動することは、自分の中で「気づけてよかった」と納得することに意味があるからです。

新型コロナウイルスとの共存が今後も続くと思われますが、私たちの言動によって、お互いがもっと安心して幸せを感じられる場面を無限に作り出せると確信しています。

あなたにとっての大切な人に「私と一緒にいてくれてありがとう」「あなたがいてくれて嬉しいです」「あなたは笑わせる天才！」などと声や文字で届けることで、さらに素敵な時間が積み重なっていくことを願っています。

本書を読んでくださった皆様、本を販売してくださる皆様、温かい言葉で応援してくれるすべての皆様、編集の四本さんをはじめ、デザインや校閲、営業など、情熱を傾けて本を一緒に作り上げてくださった幻冬舎の皆様、いつも生きる力を与えてくれる家族たちへ、こころからのお礼を申し上げます。

２０２０年７月

吉原珠央

著者略歴

吉原珠央《よしはらたまお》

イメージコンサルタント。プレゼンテーション、コミュニケーションをメインにしたコンサルティングを行うほか、「体感して学ぶ」というオリジナルのメソッドで企業向け研修や講演活動を全国で実施。また「ストレスフリー」をコンセプトにした化粧品、ファッションアイテムなどを扱う『PURA Tokyo』を立ち上げ、会社を経営。著書に『「また会いたい」と思われる人の38のルール』『「もっと話したい!」と思われる人の44のルール』『人とモノを自由に選べるようになる本』『自分のことは話すな』(すべて幻冬舎)、『パワーウーマンのつくり方』『「選ばれる女性」のシンプルな習慣40』(ともに宝島社)、『シンプルだけど心にひびく大人の気くばり』(三笠書房)がある。

幻冬舎新書 601

その言い方は「失礼」です!

二〇二〇年九月三十日 第一刷発行
二〇二一年四月 五 日 第六刷発行

著者 吉原珠央
発行人 志儀保博
編集人 小木田順子
編集者 四本恭子

発行所 株式会社 幻冬舎
〒一五一-〇〇五一 東京都渋谷区千駄ヶ谷四-九-七
電話 〇三-五四一一-六二一一(編集)
〇三-五四一一-六二二二(営業)
振替 〇〇一二〇-八-七六七六四三

ブックデザイン 鈴木成一デザイン室
印刷・製本所 中央精版印刷株式会社

検印廃止
万一、落丁乱丁のある場合は送料小社負担でお取替致します。小社宛にお送り下さい。本書の一部あるいは全部を無断で複写複製することは、法律で認められた場合を除き、著作権の侵害となります。定価はカバーに表示してあります。

©TAMAO YOSHIHARA, GENTOSHA 2020
Printed in Japan ISBN978-4-344-98603-9 C0295
よ-7-2

幻冬舎ホームページアドレス https://www.gentosha.co.jp/
*この本に関するご意見・ご感想をメールでお寄せいただく場合は、comment@gentosha.co.jp まで。

幻冬舎新書

吉原珠央

自分のことは話すな

仕事と人間関係を劇的によくする技術

「自分の話」をやめるだけで、仕事も人間関係も俄然よくなると著者は断言。その根拠とは？　「『自分をわかってほしい』と思うことほど傲慢なことはない」など会話の盲点を指摘した一冊。

内館牧子

男の不作法

ごく普通に取った行動が、他人を不愉快な気持ちにさせることがある。著者の経験や、多くの男女から聞き集めた不作法譚をもとにまとめた、知らないと致命傷になる男性ならではの不作法の数々。

内館牧子

女の不作法

不作法の多くは本人が無自覚である。本書で紹介するのは、著者自身の失敗や経験、多くの男女から聞き集めた話をもとにまとめた、人生で損をしない為にも気づいておきたい女性ならではの不作法の数々。

近藤勝重

なぜあの人は人望を集めるのか

その聞き方と話し方

人望がある人とはどんな人か？　その人間像を明らかにし、その話し方などを具体的なテクニックにして伝授。体験を生かした説得力ある語り口など、人間関係を劇的に変えるヒントが満載。

幻冬舎新書

藤井雅子
人はなぜ怒るのか
ぞんざいに扱われたり、周囲の評価が自分が思うより低い時などに人は怒る。その感情の裏には失望や寂しさ、不安などの別の感情が潜んでいる。怒りの仕組み、抑え方、適切な表現方法を指南！

篠藤ゆり
ルポ シニア婚活
還暦を過ぎて子どもがほしくなり31歳スリランカ人と成婚した61歳男性。ピースボートで72歳男性に求婚された80歳女性。インタビューで見えてきたシニア婚活の実態と成婚への道筋を紹介する。

丹羽宇一郎
人間の本性
古今東西の哲学者は「人間とは何か」を探求し続けている。この深遠な問いに対し、伊藤忠商事元会長、元中国大使で稀代の読書家でもある著者が、その豊富な人生経験から考察した一冊。

黒川伊保子
妻語《つまご》を学ぶ
「仕事と私（家族）、どっちが大事!?」……男性にとって永遠の謎である女の不機嫌は18種類に分類でき、そのすべてに対処法がある。人工知能研究者が脳科学の見地から説いた究極の指南書。

五木寛之

人生の目的

人生は思うにままならぬもの。お金も家族も健康も、支えにもなるが苦悩にもなる。ならば何のために生きるのか。時代は変わるがラクではない暮らしが続く今、ひそかに甦る感動の名著。

森博嗣

悲観する力

成功したいなら、悲観せよ！――ポジティブ・シンキングにはなんの意味も価値もない。豊かな社会ゆえの楽観を排し、人間に決定的に不足する「エラーの想定＝悲観」の有効な技術を伝授する。

岡田尊司

社交不安障害

理解と改善のためのプログラム

人前で話すのが苦手で、すぐ緊張して自然に人付き合いができない状態は「社交不安障害」といわれる。カウンセリングセンターで使われるプログラムを紹介しながら、克服の方法を実践解説！

阿刀田高

老いてこそユーモア

ユーモアは、人生を豊かにしてくれる。知的な言葉から生まれるものなので、年齢を重ねたほうが扱いやすい。九百編以上の短編作品を生み出してきた著者が、ユーモアの本質とその身につけ方を考察。

幻冬舎新書

梶谷真司
考えるとはどういうことか
0歳から100歳までの哲学入門

ひとり頭の中だけでモヤモヤしていてもダメ。考えることは、人と問い語り合うことから始まる。その積み重ねが、あなたを世間の常識や不安・恐怖から解放する——生きることそのものとしての哲学入門。

下重暁子
極上の孤独

孤独のイメージはよくない。しかし孤独な人は、一人のほうが何倍も愉しく充実しているから敢えて選んでいるのであり、成熟した人間だけが到達できる境地である。孤独の効用が満載の一冊。

和田秀樹
感情バカ
人に愚かな判断をさせる意識・無意識のメカニズム

感情が過剰になり理性とのバランスを失うと、知的な人でも愚かな判断をする「感情バカ」になる。意識・無意識の感情が判断をゆがませる仕組みを解き明かし、感情で苦しまない・損しない生き方をアドバイス。

川上徹也
一言力《ひとことりょく》

「一言力」とは「短く本質をえぐる言葉で表現する能力」。「要約力」「断言力」「短答力」など「一言力」を構成する7つの能力からアプローチする実践的ノウハウで、一生の武器になる「一言力」が身につく一冊。